自分にあった方法が見つかる！

勉強法図鑑

西岡 壱誠 + 東大カルペ・ディエム

TAC出版
TAC PUBLISHING Group

はじめに

「いくら勉強しても結果が出ない！」
「がんばっているのに、なかなかうまくいかない！」
「そもそもやる気になれない！」

　そんなお悩みの方は多いのではないでしょうか。でもそれは、「自分にあった勉強法」を見つけられていないだけなのかもしれません。

　勉強法とは、学習のサプリメントのようなものです。みなさんは、「体がだるかったらこの薬を飲もう」「頭が痛かったらこのサプリを飲もう」と、身体的な不調に薬やサプリメントに頼ることがあると思います。勉強法もそれと同じです。勉強で悩んだり、「こうなりたい」と思ったら、それにあった勉強法で対処するべきなのです。

　世のなかには、さまざまな勉強法があります。ノートを使った勉強法、問題集を使った勉強法、予習のための方法、復習のための方法……そのどれもが、学習者の悩みを解決に導く力を秘めているのです。やる気が出ないときにはやる気になれる勉強法を、暗記できないときには効率的な暗記術を試していくべきなのです。

　本書は、勉強の「処方箋」です。古今東西、さまざまな勉強法をまとめて図鑑にしています。勉強で行きづまったとき、「もっとこうなりたい」という願望を持ったときに読めば、みなさんの状況にあった勉強法がきっと見つかるはずです。

　ぜひ、本書で自分の勉強の悩みを解消してください！

Chapter1 基本の勉強法

Chapter3　具体的な方法やテクニック

 テクニック集 208

本書の使い方

本書にはさまざまな勉強法が掲載されています。
自分にあった方法を見つけ、アレンジしてください。

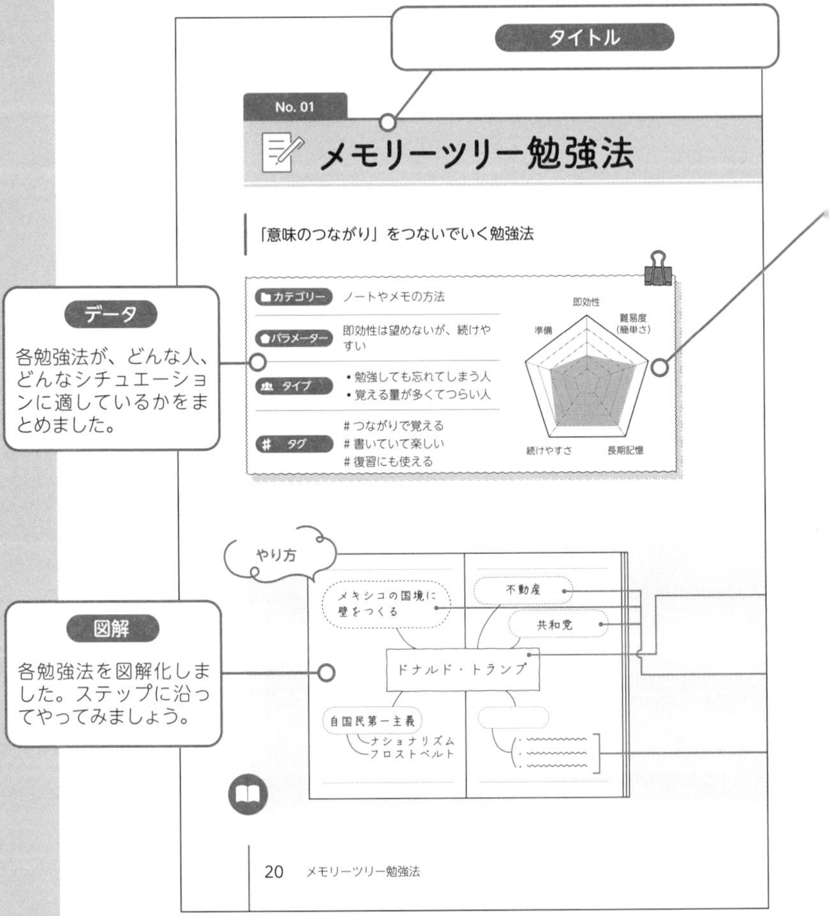
タイトル
No. 01
メモリーツリー勉強法
「意味のつながり」をつないでいく勉強法
データ
各勉強法が、どんな人、どんなシチュエーションに適しているかをまとめました。
カテゴリー
ノートやメモの方法
パラメーター
即効性は望めないが、続けやすい
タイプ
・勉強しても忘れてしまう人
・覚える量が多くてつらい人
タグ
つながりで覚える
書いていて楽しい
復習にも使える
即効性
難易度（簡単さ）
長期記憶
続けやすさ
準備
やり方
図解
各勉強法を図解化しました。ステップに沿ってやってみましょう。
メキシコの国境に壁をつくる
不動産
共和党
ドナルド・トランプ
自国民第一主義
ナショナリズム
フロストベルト
20 メモリーツリー勉強法

各指標の概要は下記のとおりです。

「即効性」：すぐに効果が出るかどうか

「難易度」：難しさ（数値が大きいほど簡単）

「長期記憶」：長期記憶に適しているかどうか

「続けやすさ」：継続しやすさ

「準備」：準備の手間（数値が大きいほど手軽）

記憶は、つながりが強いほど覚えやすく忘れにくいといわれます。その性質を利用して、同じ意味を持つ関係や、逆の意味を持つ関係、また、単語の成り立ちが似ている関係など、多くのつながりのパターンを線でつないでいくのがメモリーツリー勉強法です。

メモリーツリーは、**情報と情報のつながりを線でつなぎ、目に見える形にノートに書き込む方法**です。「記憶」＝「メモリー」の「つながり」＝「ツリー」をつくる勉強なので、この名前がつけられました。

見た目もわかりやすく、あとから書き足すこともできるため、多くの人に使われています。ただし、共通点を見出して「ここが似ている」「ここでつながっている」ということを明確に理解していないとノートをつくることが難しいので注意してください。

概要

各勉強法の概要をまとめました。

1 真ん中にテーマを書く

2 つながりのある言葉を書いてつなぐ

3 説明を追加して書く

解説

具体的な勉強法の進め方を解説しています。

メモリーツリーのつくり方

メモリーツリーのつくり方を具体的に見ていきましょう。まず、紙の中央に一つ、覚えたい単語や勉強したい単元の用語を書きます。たとえば、ここでは「form」という英単語を使います。これは「形」を意味する言葉です。多くの人が、ただ「form＝形」と覚え

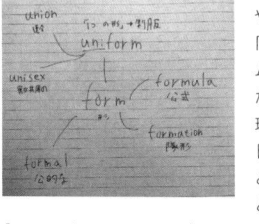

ると思いますが、これは野球やテニスなどのスポーツでいう「フォームがいい」の「フォーム」と同じ意味で、「外から見たときの形」を指します。野球やゴルフ、テニスなどでは「どの位置に腕がきていて、どの位置に足があって……」と、外から見た特徴を指して

「フォーム」といってますが、このように「形」「形態」「外見」といったものを指してフォームというのです。

また、「フォーマル（formal）な格好」という表現もありますが、これは「正式」な格好を指します。

なぜ「形」が「正式」になるかというのは、「形式ばる」という日本語を知っていればわかると思います。「形通り・型通り」というのは、「正式」なものであり、遊びがなくて堅苦しい状態を指します。だからこそ、「フォーマルな格好」は「形式ばっていて外見的にきちんとしている状態」を指すわけです。「format」というのは「ほかにも使えるような型」、「formula」は「数学などの公式」「決まった言葉」を指します。「form」というのは「形」から派生して「形式

に則っている」という意味になるのがわかりますね。

　このような派生情報を整理して、form からつながる形で、ノートに「format」「formula」「uniform」と書いていくのです。

　このノートを使えば、このように、一つの英単語から複数の意味のつながりを理解することができますね。

✎ やってみた！

英単語だけではなく、歴史上の人物や、理科の元素記号など、つながりがたくさんあるものほど覚えやすいです。また、ちょっとしたすきま時間にパパッと書けるのがこのノートのいいところです。ただし、実際にこれをやると 1 時間くらいかかります。普段の勉強と並行して実践すると時間をとられてしまうので、1 週間に一度くらいのペースがおすすめです。また、これはたくさんツリーをつくることで効果が出ます。ツリー一つで終わりではなく、新しいツリーをどんどんつくりましょう！

・『新版 ザ・マインドマップ®』
メモリーツリーと同様のマインドマップ® のやり方がていねいにされています。
トニー・ブザン（著）、近田美季子（訳）、ダイヤモンド社

おすすめの本

「もっとくわしく知りたい！」というときにおすすめの本を紹介しています。

西岡壱誠 (にしおか いっせい) ─────────

現役東大生

1996年生まれ。偏差値35から東大を目指すも、現役・1浪と、2年連続で不合格。崖っぷちの状況で開発した「独学術」で偏差値70、東大模試で全国4位になり、東大合格を果たす。

そのノウハウを全国の学生や学校の教師たちに伝えるため、2020年に株式会社カルペ・ディエムを設立。全国の高校で高校生に思考法・勉強法を教えているほか、教師には指導法のコンサルティングを行っている。また、YouTubeチャンネル「スマホ学園」を運営、約1万人の登録者に勉強の楽しさを伝えている。

著書多数。『東大読書』『東大作文』『東大思考』『東大独学』（いずれも東洋経済新報社）はシリーズ累計40万部のベストセラーになった。

布施川天馬 (ふせがわ てんま) ─────────

現役東大生

1997年生まれ。世帯年収300万円台の家庭に生まれ、幼少期から貧しい生活を余儀なくされる。金銭的、地理的な事情から、無理なく進学可能な大学である東大進学を志すようになる。

高校3年生まで吹奏楽部の活動や生徒会長としての活動をこなすが、自主学習の習慣をほぼつけないままに受験生となってしまう。予備校に通うだけの金銭的余裕がなかったため、オリジナルの「お金も時間も節約する勉強法」を編み出し、1浪の末、東大合格を果たす。

現在は、自身の勉強法を全国に広めるための「リアルドラゴン桜プロジェクト」を推進。また、全国の子供たちを対象に無料で勉強を教えるYouTubeチャンネル「スマホ学園」にて授業を行う。

著書に『東大式時間術』『東大式節約勉強法　世帯年収300万円台で東大に合格できた理由』（ともに扶桑社）、『人生を切りひらく　最高の自宅勉強法』（主婦と生活社）がある。

黒田将臣 (くろだ まさおみ) ─────────

現役東大生

東大合格者0人の高校で、高校入学当初は下から数えたほうが早い順位だったが、東大受験に合格するためのテクニックをハックし、2浪して東大に合格した。いまだに努力神話の建前が根強い一方で、進学校や予備校などの高額な教育産業が受験ノウハウを独占している受験の世界を変えるため、東大生集団「カルペ・ディエム」に所属して、自分で受験のゴールを設定し、自力で東大合格できる受験生を1人でも増やすために活動している。

著書に『ビジネスとしての東大受験　億を稼ぐ悪の受験ハック』（星海社）、『東大入試徹底解明　ドラゴン現代文』（文英堂）がある。

相生昌悟 (あいおい しょうご) ─────────

現役東大生

2000年生まれ。地方公立高校出身の現役東大生。高校入学当初から勉学に励み続けるも、思うような結果に結びつかず、努力の仕方を考え始める。最終的に、努力を必ず目標達成に導く「目標達成思考」を確立し、高校3年時に東大模試で全国1位を獲得。その後、東京大学に現役合格。

現在は自身の経験を全国の教師や学生に伝えるべく、「リアルドラゴン桜プロジェクト」で高校生にコーチングを行っている。

著書に『東大式 目標達成思考「努力がすべて」という思い込みを捨て、「目標必達」をかなえる手帳術』（日本能率協会マネジメントセンター）がある。

永田耕作（ながた こうさく）

現役東大生

公立高校から学習塾に入らずに現役で東京大学理科一類に合格。東京大学の進学振り分けシステムにおいて文系へと転向し、現在は東京大学教育学部に所属。同時に株式会社カルペ・ディエムに所属し、現在はさまざまな学校の高校生に「勉強との向き合い方」や「努力の大切さ」を伝える講演活動を実施している。自分自身のこれまでの経験や、大学で学んでいる教育論を整理しつつ、中学生高校生とも触れ合いながら自分自身の考えを洗練させている。

著書に『東大生の考え型 「まとまらない考え」に道筋が見える』（日本能率協会マネジメントセンター）などがある。

松島かれん（まつしま かれん）

現役東大生

高校生のころ自分に自信がないことをとても悩んでいた。何かを頑張って、自分を信じられるような人間になりたい、との想いから東大受験を決意。しかし、高校1年生で受けた模試では、数学の問題別偏差値で39を取り、国語の解答用紙の使い方もわからず、東大が目指せるような成績ではなかった。

そんなときに出会ったのが「手帳」である。合格までの日々を逆算して、模試や時期ごとの目標を立てられるだけでなく、日々の自分をコントロールできると気づいた。夢を叶えるために必要な「時間・体力・気力」を手帳によってコントロールできるようになったのである。加えて、手帳を書き始めてから、自然と前向きに勉強が頑張れるようになっていた。

その結果もあって、内部進学者がほとんどの高校から学年1人、東大に現役合格を果たす。

著書に『無理せず自然に成績が上がる勉強のトリセツ 東大生の合格手帳術』（日本能率協会マネジメントセンター）がある。

青戸一之（あおと かずゆき）

東大卒講師・ドラゴン桜noteマガジン編集長

1983年生まれ、鳥取県出身。地元の進学校の高校を卒業後、フリーター生活を経て25歳で塾講師に転身。26歳から塾の教室長としてマネジメント業を行う傍ら、学習指導にも並行して携わる。29歳の時に入塾してきた東大志望の子を不合格にしてしまったことで、自身の学力不足と、大学受験の経験が欠如していることによる影響を痛感し、30歳で東大受験決意。塾講師の仕事をしながら1日3時間の勉強により33歳で合格。在学中も学習指導の仕事に携わり、現在は卒業してキャリア15年目のプロ家庭教師・塾講師を行う傍ら、ドラゴン桜noteマガジンの編集長を務める。

著書に『あなたの人生をダメにする勉強法』（日本能率協会マネジメントセンター）がある。

ガイダンス

東大生への誤解

本書は、これまでに考えられてきたさまざまな勉強法を集め、実際にその勉強法を実践した東大生に話を聞き、その結果どうだったのかをみなさんにお伝えするものです。

「東大生がやった」なんていうと、もしかしたらみなさんは「ええ、自分には真似できないかも」と思うかもしれません。でも、そんなことはありません。

多くの人が、東大生は「頭がいい」「もともとできる人たち」と考えているかもしれませんが、それは違います。もちろん記憶力がほかの人よりいいとか、記述力があるとか、いくつか尖った才能を持っている人もいますが、そんな才能だけでなんとかなるほど東大入試は甘くありません。ほかの大学入試よりも課される科目数が多く、求められる能力も多岐にわたります。記憶力や記述力、論理的思考力など、たくさんの能力が問われるのが東大入試なのです。多少才能がある分野があって、対策が必要なかったとしても、それ以外の分野は努力して対策しなければならないのです。

東大生＝圧倒的に多くの勉強法を試した人たち

才能でなんとかならないのが東大入試であり、そんな入試に対

応して東大に合格したいと思ったら、ほかの人よりもいろんな勉強法を試さなければならないのです。だからこそ、東大生は「**ほかの人よりも圧倒的に、多くの勉強法を試した人たち**」です。自分にあう・あわないをしっかり試したうえで判断して、ときには勉強法を組み合わせたりもして、自分の実力をアップさせている……そんな人たちだからこそ、その勉強法を実践したときにどんな効果が得られるのか、どうすれば効果を最大化できるのか、どんな人にその勉強法が向いているのか、くわしく知っているのです。

そもそも、なぜ勉強するのか？

　そもそも人は、なぜ勉強するのでしょうか？　その答えは、いろいろな人がいろいろな答えを出しています。

　一つの回答として考えられるのは、「世界が広がるから」というものです。たとえば、みなさんがコンビニに行って牛乳を買ったとします。

　もし、みなさんが東京で牛乳を買ったなら、その原産地は「群馬県」や「栃木県」「千葉県」など、関東地方の近隣の県名が書かれている場合が多いと思います。

　「牛乳といえば北海道なんじゃないの？」「北海道産の牛乳が多いと思っていた」と考える人は多いのではないでしょうか？　群馬県や栃木県には牛乳のイメージはあまりないと思います。では、なぜ、ここで牛乳がつくられているんでしょうか？

　実は、その答えは小学生の社会の教科書に載っています。「近

郊農業」といって、野菜は早く食べたほうが鮮度がいいため、消費地の近くでつくって移動にコストや時間をあまりかけないようにする農業が存在する、というのを勉強したことがある人は多いはずです。牛乳というのは賞味期限が短く、鮮度が大事です。北海道でつくった牛乳を東京まで運ぶとしたらそれだけで時間も労力もかかります。だから、牛乳は消費地の近くでつくられる場合が多いのです。

　なにかを食べるときに、なにも考えずにいてもいいですが、「これはこの地域の特産品なんだよなぁ」「これも近郊農業の一環なんだよなぁ」なんて考えて、社会とのつながりを意識すると、なんとなく世界が広がっていくような感覚がありませんか？　勉強はこのように、「世界を広げるため」にやるものだともいえるのです。

独学と塾や予備校、どちらがいい？

　さて、最後に多くの人からいただく質問に答えたいと思います。独学で勉強するか、塾や予備校などでだれかから習うか、というのは、多くの人を悩ませてきた問いだと思います。

　前提として、塾や予備校は、**「入れば成績が上がる魔法の施設」ではありません**。成績が上がらない人はいます。うまく活用できるかどうかは自分次第ですから、うまく活用できるなら行くべきです。

　塾や予備校に行ったほうがいい可能性がある科目もあります。たとえば、大学受験において国語という科目は、独学では伸びるのが大変と言われています。みなさんも、国語の成績を上げよう！と思ってもなにを勉強したらいいかわからない、という人は

多いですよね。このように、「**どうしていいかわからない科目に関して、教わりにいく**」と考えると、うまく活用できる場合が多いです。

　また、勉強以外の意義を求めるのもおすすめです。たとえば、東大生は受験生時代に、わざと学校から遠い塾に通っていた人が多いのです。その理由は、「近いところの塾だと、同じ学校の友達がいっぱいいて、その友達とばっかり絡んでしまうから」といいます。遠くの塾であれば、新しい人間関係や同じ志を持つ仲間をつくることができます。受験生のときに、なんと香川県から瀬戸大橋を渡って関西圏まで毎週塾に通っていた東大生がいたりします。すごい話ですね。

　でも、そこまですると、そこでの人間関係が新鮮なものになり、新しい感覚で友達と仲良くなれる場合もあるのです。だから、「遠くまで行って、そのコミュニティに入る」というのはいいことなのではないでしょうか。

おすすめの本

• 『東大よりも世界に近い学校』
「なぜ学校に行くの？」「これからの世界で生き抜くために必要なものはなに？」という疑問に答えてくれる本です。
日野田直彦（著）、TAC出版

基本の勉強法

ノートやメモの方法

01

ノート術やメモ術は勉強法の基本です。
まずは、さまざまなノートの活用法を紹介します。

見つける！

基本の勉強法 ▼　　日常の学習 ▼

メモ術 ▼　　ノート術 ▼

---

p.36

ミス集め勉強法

まちがった問題をまとめて
ミスノートをつくる勉強法

#ミスノート

#試験対策

#ケアレスミスを防ぐ

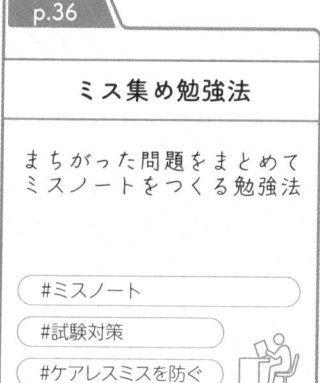

---

p.40

ボールペン勉強法

消しゴムで消せない
文房具で行う勉強法

#文房具の活用

#ケアレスミスを防ぐ

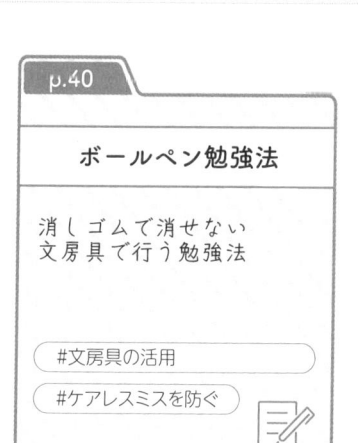

---

p.44

感情相関勉強法

感情に応じて
文字を大きくするノート術

#感情は悪くない

#情報整理法

#ケアレスミスを防ぐ

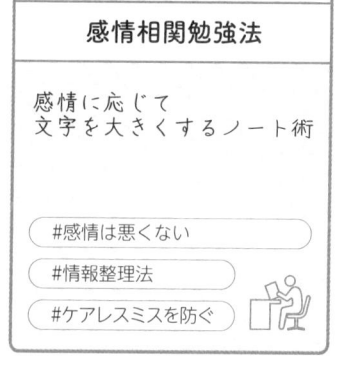

メモリーツリー勉強法

「意味のつながり」をつないでいく勉強法

📁 **カテゴリー**	ノートやメモの方法
🔑 **パラメーター**	即効性は望めないが、続けやすい
👥 **タイプ**	• 勉強しても忘れてしまう人 • 覚える量が多くてつらい人
# **タグ**	# つながりで覚える # 書いていて楽しい # 復習にも使える

レーダーチャート：
即効性 / 難易度（簡単さ）/ 長期記憶 / 続けやすさ / 準備

やり方

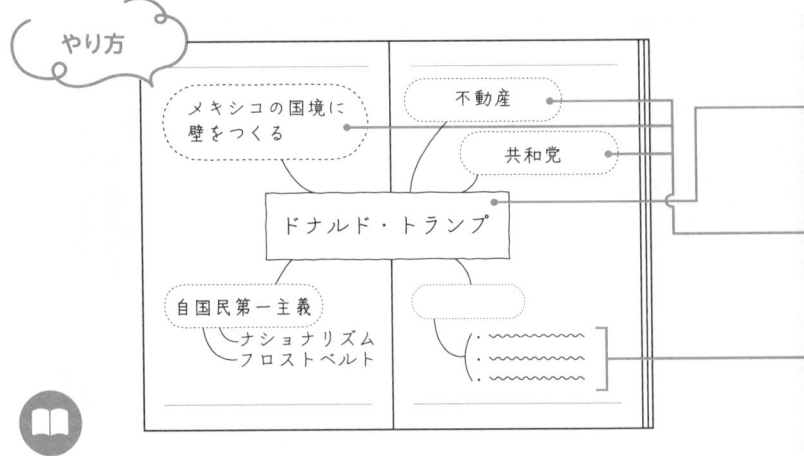

メキシコの国境に壁をつくる

不動産

共和党

ドナルド・トランプ

自国民第一主義
　ナショナリズム
　フロストベルト

記憶は、つながりが強いほど覚えやすく忘れにくいといわれます。その性質を利用して、同じ意味を持つ関係や、逆の意味を持つ関係、また、単語の成り立ちが似ている関係など、多くのつながりのパターンを線でつないでいくのがメモリーツリー勉強法です。

　メモリーツリーは、**情報と情報のつながりを線でつなぎ、目に見える形にノートに書き込む方法**です。「記憶」＝「メモリー」の「つながり」＝「ツリー」をつくる勉強法なので、この名前がつけられました。

　見た目もわかりやすく、あとから書き足すこともできるため、多くの人に使われています。ただし、共通点を見出して「ここが似ている」「ここでつながっている」ということを明確に理解していないとノートをつくることが難しいので注意してください。

1	真ん中にテーマを書く
2	つながりのある言葉を書いてつなぐ
3	説明を追加して書く

メモリーツリーのつくり方

　メモリーツリーのつくり方を具体的に見ていきましょう。まず、紙の中央に一つ、覚えたい単語や勉強したい単元の用語を書きます。たとえば、ここでは「form」という英単語を使います。これは「形」を意味する言葉です。多くの人が、ただ「form＝形」と覚え

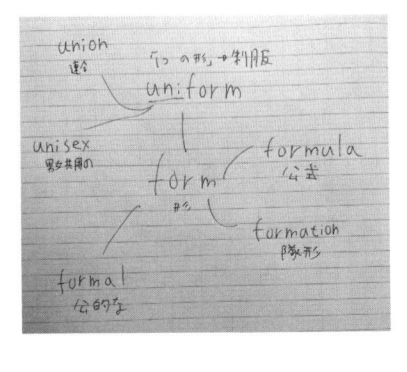

ると思いますが、これは野球やテニスなどのスポーツでいう「フォームがいい」の「フォーム」と同じ意味で、「外から見たときの形」を指します。野球やゴルフ、テニスなどでは「どの位置に腕がきていて、どの位置に足があって……」と、外から見た特徴を指して

「フォーム」といってますが、このように「形」「形態」「外見」といったものを指してフォームというのです。

　また、「フォーマル（formal）な格好」という表現もありますが、これは「正式」な格好を指します。

　なぜ「形」が「正式」になるかというのは、「形式ばる」という日本語を知っていればわかると思います。「形通り・型通り」というのは、「正式」なものであり、遊びがなくて堅苦しい状態を指します。だからこそ、「フォーマルな格好」は「形式ばっていて外見的にきちんとしている状態」を指すわけです。「format」というのは「ほかにも使えるような型」、「formula」は「数学などの公式」「決まった言葉」を指します。「form」というのは「形」から派生して「形式

に則っている」という意味になるのがわかりますね。

　このような派生情報を整理して、form からつながる形で、ノートに「format」「formula」「uniform」と書いていくのです。

　このノートを使えば、このように、一つの英単語から複数の意味のつながりを理解することができますね。

英単語だけではなく、歴史上の人物や、理科の元素記号など、つながりがたくさんあるものほど覚えやすいです。また、ちょっとしたすきま時間にパパッと書けるのがこのノートのいいところです。ただし、実際にこれをやると 1 時間くらいかかります。普段の勉強と並行して実践すると時間をとられてしまうので、1 週間に一度くらいのペースがおすすめです。また、これはたくさんツリーをつくることで効果が出ます。ツリー一つで終わりではなく、新しいツリーをどんどんつくりましょう！

・『新版ザ・マインドマップ®』
メモリーツリーと同様のマインドマップ® のやり方がていねいにされています。
トニー・ブザン（著）、近田美季子（訳）、ダイヤモンド社

カラーリングノート

色分けルールでわかりやすいノートをつくる

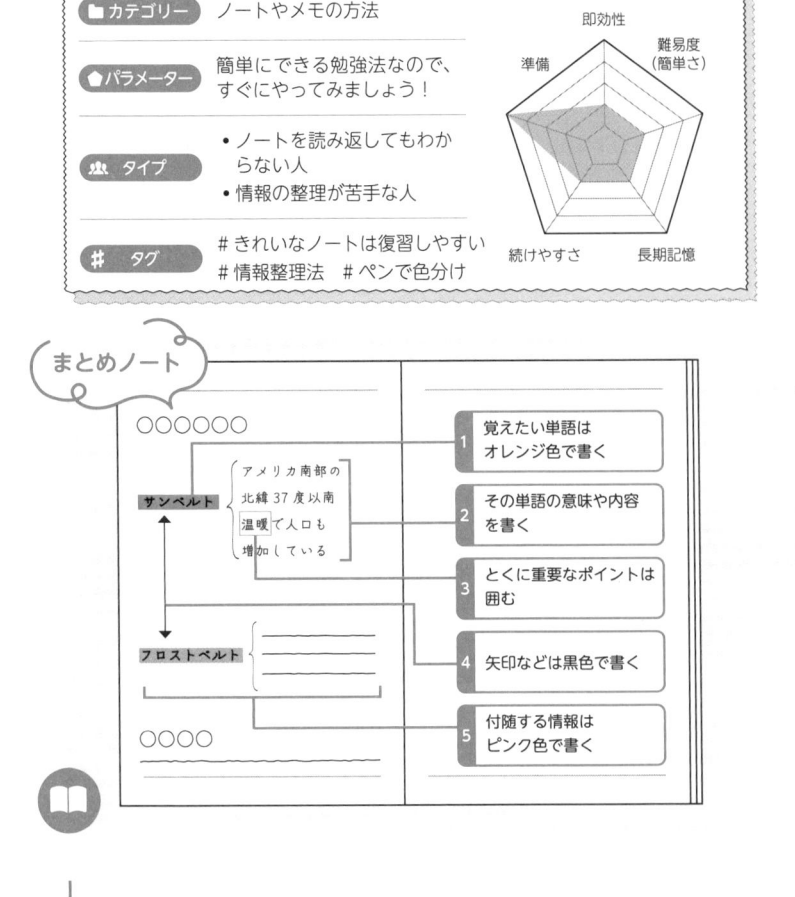

📁 カテゴリー	ノートやメモの方法
⬠ パラメーター	簡単にできる勉強法なので、すぐにやってみましょう！
👥 タイプ	・ノートを読み返してもわからない人 ・情報の整理が苦手な人
# タグ	# きれいなノートは復習しやすい # 情報整理法　# ペンで色分け

レーダーチャート：即効性／難易度（簡単さ）／長期記憶／続けやすさ／準備

まとめノート

○○○○○○

アメリカ南部の
北緯37度以南
温暖で人口も
増加している

サンベルト

フロストベルト

○○○○

1 覚えたい単語はオレンジ色で書く

2 その単語の意味や内容を書く

3 とくに重要なポイントは囲む

4 矢印などは黒色で書く

5 付随する情報はピンク色で書く

カラーリングノートは、色の使い方を決めてノートをつくることです。

　「ノートのきれいさが学力に直結するかどうか」は長く議論されていますが、いまだ結論は出ていません。暗記するのにノートのきれいさは関係ない、自分が読むためのノートに「他人から見てきれい」である必要はない、という意見も一理あります。しかし、きれいなノートをつくることに一定の効果があるというのもまた事実です。

　頭のいい人のノートは、**色のルールが明確なので、あとから見返しても勉強になる**、という利点があります。そのこだわり方を知っておくと、成績が上がりやすくなります。

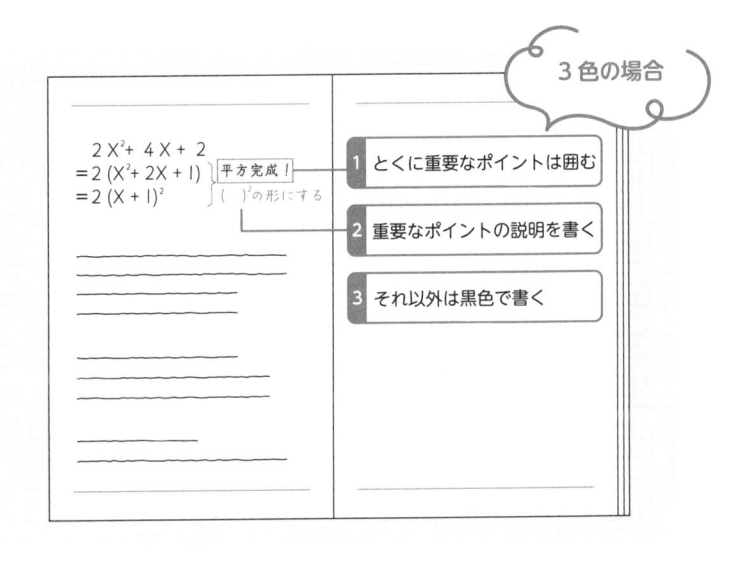

3色の場合

$2X^2 + 4X + 2$
$= 2(X^2 + 2X + 1)$
$= 2(X + 1)^2$

平方完成！
( )²の形にする

1 とくに重要なポイントは囲む

2 重要なポイントの説明を書く

3 それ以外は黒色で書く

まとめノート

まず、1冊のノートと6色のペンを用意します。ペンの色はなんでもかまいませんが、見やすくて使いやすいものがいいでしょう。ここでは仮に、黒、赤、青、オレンジ、緑、ピンクとします。

ノートにまとめ直して復習や暗記したい分野を選びます。覚えたい単語を選んだら、自分で決めた色選びのルールに沿って単語とその関連情報を書き込みましょう。下記はルールの一例です。

- オレンジ：覚えたい単語
- 青：その単語の意味・内容
- 赤：特に重要な意味・内容
- ピンク：その単語に付随する情報（英単語なら類義語・反対語・関連単語など）
- 緑：実際にその単語が使われている例文
- 黒：イコール（＝）や矢印（→）など情報同士のつながり、イラスト1単語につき5色以上を目標として、まずは20単語を目安に書いてみましょう。

3色ペン勉強法

ノートにわからなかった単語や覚えなければならない事項をメモしていくのが3色ペン勉強法です。**覚えるべき事項があって、忘れたくないときに用いるのがおすすめ**です。この勉強法も、事前に決めた色選びのルールに沿って書き込みましょう。下記はルールの一例です。

- 赤またはオレンジ：重要なポイント

- 青：そのポイントに付随する重要な情報
- 黒：それ以外の、説明の情報や具体例の情報など

　赤またはオレンジで書くのは、赤シートで消すことができるので、あとから復習するのに便利だからです。その赤シートで消えた部分を覚えられているように、何度も復習しましょう。

✏ やってみた！

「カラーリングノート」を実践するうえで大切なのが、「ノート全体で色使いが統一されている」ことです。統一されているとその情報がどういう位置づけか、一目ですっと頭に入ってきます。

色選びは個性が出るところですが、赤シートをかざすと消えるオレンジ、注意を引く赤、集中力を高める青、同じく赤シートで消えて緊張を和らげるピンク、安心感を与える緑と、色の効果を意識して配色するのがおすすめです。

おすすめの 本

- 『情報活用のうまい人がやっている3色ボールペンの使い方』
　3色ボールペンを使って、ノート術だけでなくアイデアにつながる方法がまとまっています。
　齋藤孝（著）、フォレスト出版

二等分勉強法

ノートを二等分することでいろいろな使い方をするノート術

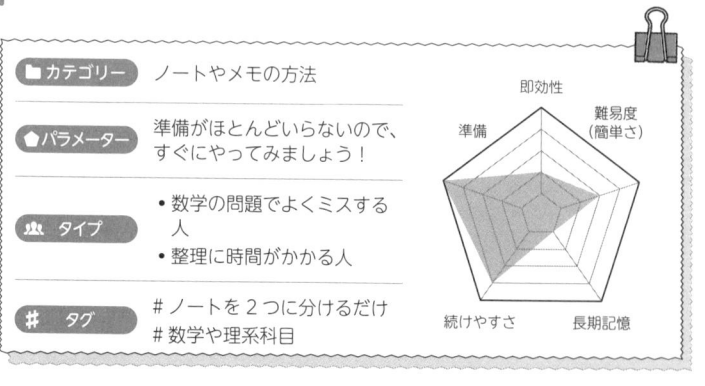

カテゴリー ノートやメモの方法

パラメーター 準備がほとんどいらないので、すぐにやってみましょう！

タイプ
- 数学の問題でよくミスする人
- 整理に時間がかかる人

タグ #ノートを2つに分けるだけ #数学や理系科目

即効性 / 難易度（簡単さ） / 準備 / 続けやすさ / 長期記憶

やり方

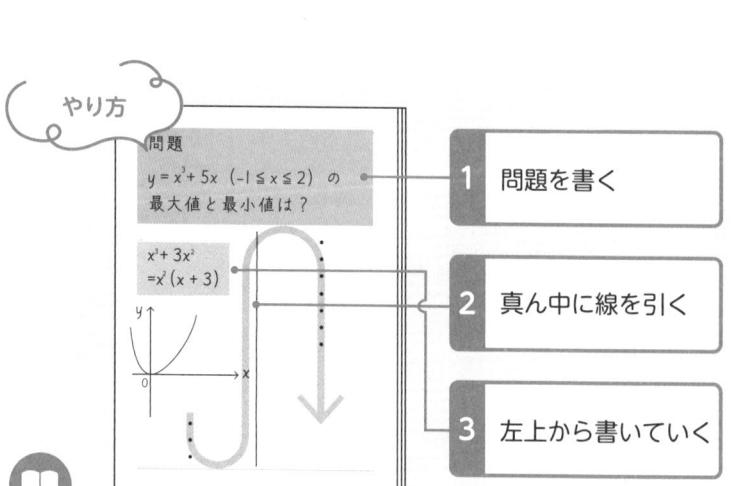

問題
$y = x^3 + 5x \ (-1 \leq x \leq 2)$ の最大値と最小値は？

$x^3 + 3x^2$
$= x^2(x + 3)$

1 問題を書く

2 真ん中に線を引く

3 左上から書いていく

二等分勉強法は、ノートをとる際に、**真ん中に１本縦線を引いて、ノートを右と左に分けて使う**勉強法です。そのままでノートをとるよりも、真ん中に線を引いて右と左に分けて使うだけでミスが減り、情報が整理できるようになるのです。とくに数学の勉強や、数式を扱う科目では二等分して縦に長くしたほうがうまくいくため、その特徴をいかした勉強法です。

実際のノート

二等分で縦長のノートをつくる

　二等分勉強法において重要なのは、二等分されていて書くスペースが狭いということです。**狭いということは、縦に情報が流れていく**ことになります。実は勉強において、横に広がるよりも、縦に流れていくほうがいい場合があるのです。数式をはじめとして、同じ情報を言い換えていく場合がそれに該当します。

　たとえば、「A＝B」くらいならいいのですが、その情報がいくつも続く場合、縦に書いていくほうがわかりやすいのです。

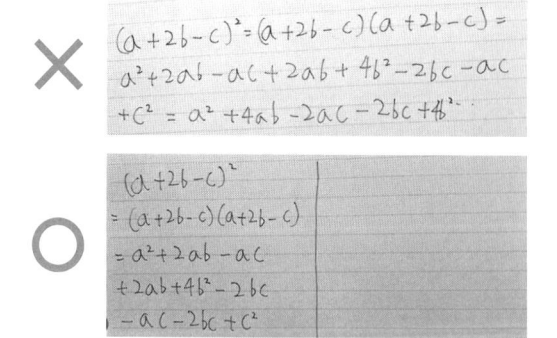

　このように、縦に連なっていると、＝（イコール）でつないだ数式が比較しやすくなります。同じものが形を変えているのがわかるのではないでしょうか。つまり、ノートは縦に長いほうが情報がうまく整理されるのです。ノートというのは、その人の思考が投影されたキャンバスのようなものです。そんなノートで情報が見えにくくなってしまったときは、頭のなかが整理しにくくなってしまうタイミングと考えられます。だからこそ、**ノートを二等分して縦に長**

くすることで、頭のなかを整理しやすくするのです。

　これをつくると、普通よりも縦長のノートになりますが、それによって情報を短く整理しようと考えたり、右側と左側で別の情報をまとめたり、さまざまな工夫が生まれます。

　右側と左側で別の情報をまとめる場合は、対比的な内容にしてもいいでしょう。歴史でイギリスとフランスを対比したり、日本と世界で対比したり、頭のなかを整理するのにぴったりの勉強法です。

やってみた！

東大生に聞いてみたところ、数学のノートをずっと真ん中に線を引いて使っていたという人は多かったです。また、右と左で同じ問題について書く、という方法を取っている人もいました。たとえば、左に最初に解いた結果を書いて、右には清書して正しい数式を書く、というものです。こうすると、自分のつくった答えと模範解答とのちがいがわかるのです。

おすすめの **本**

• 『ドラゴン桜』
この二等分勉強法も『ドラゴン桜』で紹介されています（第10巻）。
三田紀房（著）、講談社

一問一答勉強法

一問一答形式で「Q & A」をノートに書いていく勉強法

カテゴリー	ノートやメモの方法	
パラメーター	問題をつくるのは大変ですが、長期記憶につながります	
タイプ	• よりたくさん覚えたい人 • テストや資格試験でいい点を取りたい人	
タグ	# 記憶系 # 自分で問題をつくる # 資格試験対策	

即効性
難易度（簡単さ）
準備
続けやすさ
長期記憶

やり方

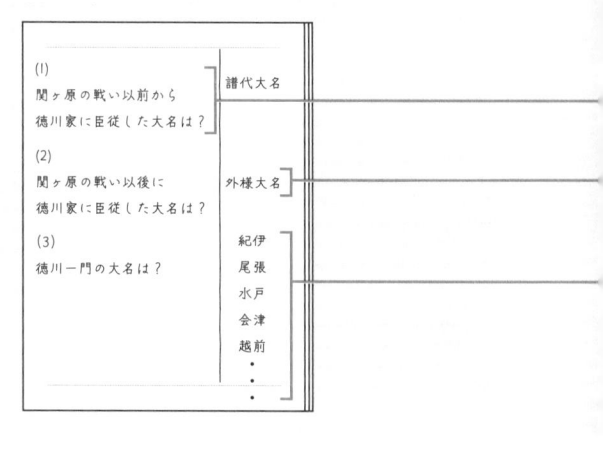

(1)
関ヶ原の戦い以前から徳川家に臣従した大名は？　譜代大名

(2)
関ヶ原の戦い以後に徳川家に臣従した大名は？　外様大名

(3)
徳川一門の大名は？　紀伊／尾張／水戸／会津／越前／・・・

一問一答勉強法は、覚えるべき事柄に対して、**その事柄が答えになる問題を自分でつくり、一問一答形式でノートをまとめていく**ものです。「どう問われるか」を意識しながらその問題を覚えることができるので、試験問題を解くうえでより点数につながりやすい記憶が可能になります。

　それが答えになる問題をつくるのは意外と大変です。なぜならちゃんと１つに答えが絞られるような問い方をしないといけないからです。たとえば、「正しいと言う意味の英単語は？」→ correct/right/true、と、いくつも答えができてしまいますよね。「基本的にだれが見ても明らかで正確なことを意味する英単語は？」→ correct、となるのです。

1	問題を書く

2	問題の答えを書く

3	答えが一つになるように、問題をきちんと定義しないと答えがたくさんになってしまうので注意

英単語を覚えるとき

英単語を覚える場合、ただ「inspire＝応援する」と覚えるのではなく、「"The design of this building was ＿＿＿＿ by nature. このビルのデザインは自然から影響を与えられている" 下線に当てはまる単語を答えなさい」というような問題をつくって覚えることで、より実践的な暗記ができるようになります。

日本史のとき

この勉強法のいいところは、かなり実践的で、どこが覚えるべきポイントなのかが問題をつくる過程で理解できるようになるのです。

たとえば、日本史で奈良時代などの租税制度で「租」「庸」「調」を習うと思います。「租」＝「律令制度の税制の中心」とだけ覚えていると、「律令制度の税制の中心は？」という問題が考えられますが、この場合、同じく中心だった「調」「庸」も答えになってしまいます。「律令制度の税制のなかで、収穫した稲を納める税は？」と出題すれば答えが「租」になりますが、そうすると「租＝収穫した稲を納める、律令制度の税制」と覚えなければならないことがわかります。このように、作問を意識することで、覚えるべきポイントがより効率的にわかるのです。どんな問題をつくるか、というのは、そっくりそのまま、どう問われる可能性があるかを想像し、対策することにつながります。テスト対策として有効なので、ぜひやってみましょう。

資格試験のとき

　一問一答勉強法は資格試験対策でも有効です。**選択肢を選ぶ択一式の試験では、問題文の選択肢それぞれが用語の説明であったり、一問一答形式の問題**だったりします。正しい選択肢はそのまま一問一答の問題として、誤っている選択肢はどこがまちがいなのかを明確にしてノートにまとめることで、格段に実力がアップします。

✏ やってみた！

　1つの答えに対して複数の問題をつくるのもおすすめです。「end」には、「終わり」以外にも、「目的」や「端」という意味があります。「end of the table」は「テーブルの端」という意味ですが、「目的を表すeから始まる英単語は？」「"＿＿＿ of the table.テーブルの端" 下線に当てはまる単語を答えなさい」という2つの問題をつくることで、1つの知識だけで終わらせないようにすることができます。

おすすめの本

• 『東大生の勉強法カタログ　改訂版』
　学生の勉強法について、東大生がさまざまな
　方法をカタログとしてまとめています。
　Gakken

ミス集め勉強法

まちがった問題をまとめてミスノートをつくる勉強法

🗂 カテゴリー	ノートやメモの方法
🎗 パラメーター	ミスをまとめるだけなので、続けやすい
🧑‍🤝‍🧑 タイプ	• 復習する時間がなかなか取れない人 • ケアレスミスが多くて悩んでいる人
# タグ	# ミスノート # 試験対策 # ケアレスミスを防ぐ

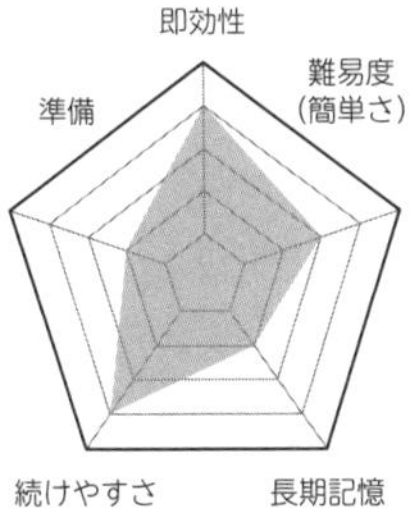

レーダーチャート：即効性／難易度（簡単さ）／長期記憶／続けやすさ／準備

やり方

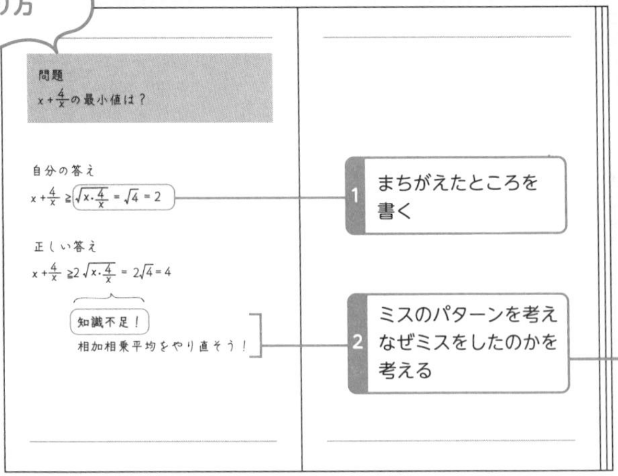

問題
$x + \dfrac{4}{x}$ の最小値は？

自分の答え
$x + \dfrac{4}{x} \geq \sqrt{x \cdot \dfrac{4}{x}} = \sqrt{4} = 2$

正しい答え
$x + \dfrac{4}{x} \geq 2\sqrt{x \cdot \dfrac{4}{x}} = 2\sqrt{4} = 4$

知識不足！
相加相乗平均をやり直そう！

1 まちがえたところを書く

2 ミスのパターンを考えなぜミスをしたのかを考える

ミス集め勉強法は、自分のできていなかった部分を集めてミスノートをつくる勉強法です。テストや問題演習の際に、どこをまちがえたのかを分析します。そして、**まちがえた問題と、自分のまちがった答え、それがどのようなミスなのか、さらにその理由などをノートにまとめていく**ものです。

　ケアレスミスは「注意不足で本来の実力が発揮できなかった」という意味ですが、どんなミスでも、「本来の実力」の範疇に含まれます。たとえケアレスミスであっても、ミスはミスであり、復習して二度と同じミスをしないようにしなければなりません。そのための勉強法が、ミス集め勉強法です。

ミスの3分類

① **知識不足**　　覚えるべき事項を忘れる

② **演習不足**　　演習力が足りない

③ **取りこぼし**　　時間が足りない、ケアレスミス

ミスノートのつくり方

ノートを用意して、以下の 3 つを書き出します。

❶どのようなミスなのか

例：＋と－を書きまちがえた計算ミス、「専門」を「専問」と書いて
　　しまった漢字ミス

❷なぜそのようなミスをしてしまったのか

例：計算が複雑で処理しきれなかった、時間がなくて急いでいた、
　　まちがえて覚えていた

❸これからどのように改善するのか

例：試験終了 10 分前には問題を解くのをやめて検算に徹する、こ
　　れまでの試験を見直してまちがえやすい漢字リストをつくる

　書き出したら、同じミスをしないようにするためにはどうすれば
いいかを考えましょう。その際、「気合で乗り切る」「がんばる」の
ような根性論はよくありません。しっかり分析し、同じことをくり
返さないように意識することが大切なのです。

ミスを3つに分類しよう

　ミス集め勉強法を実践していくときにおすすめなのが、ミスを 3
つに分類することです。問題が解けなかった場合、基本的にはこの
3 つのミスのうちのどれかにあてはまります。

❶ 知識不足：基本の知識が欠けている（暗記するべき事項を忘れて
　　　　　　　　しまっている）

❷ 演習不足：知識の応用の仕方がわかっていない（演習の経験が足
　　　　　　　　りない）

❸ **取りこぼし**：試験の最中に起こったミス（試験時間が足りない、ケアレスミスなど）

　知識が足りないだけ、知識はあるけど演習不足で解けない、試験時間が足りないなどの取りこぼし、という3つにミスを分類するのです。そして、知識が足りないなら知識を得る勉強をします。演習が足りないなら演習を増やします。取りこぼしが多いなら本番同様の形式の勉強が必要でしょう。そういった意識を持ちながら勉強しましょう！

> ✏ やってみた！
>
> 　東大生は、模擬試験や過去問を解く際にこのミス集め勉強法を実践し、知識不足の科目や分野は「知識のインプット」の勉強を、演習不足の科目や分野は「問題演習をするアウトプット」の勉強を、取りこぼしが多かった科目や分野は本番同様の環境下で解いて慣れるようにする勉強をしていました。

- 『マンガでわかる東大勉強法』
  やる気の継続、目標・計画の立て方、アウトプット術、科目別攻略法で使えるメソッドをマンガ形式で紹介しています。
  西岡壱誠（著）、ひなた水色（作画）、幻冬舎

ボールペン勉強法

消しゴムで消せない文房具で行う勉強法

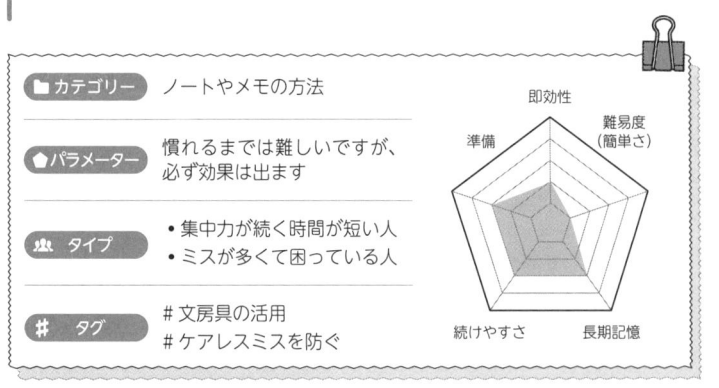

カテゴリー	ノートやメモの方法
パラメーター	慣れるまでは難しいですが、必ず効果は出ます
タイプ	・集中力が続く時間が短い人 ・ミスが多くて困っている人
タグ	# 文房具の活用 # ケアレスミスを防ぐ

レーダーチャート項目: 即効性 / 難易度（簡単さ）/ 長期記憶 / 続けやすさ / 準備

やり方

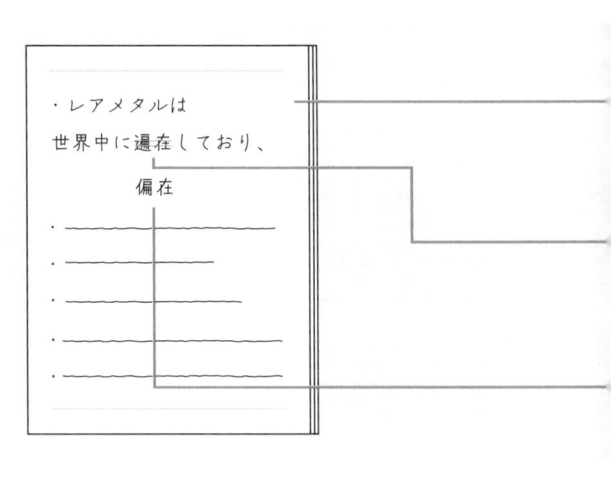

・レアメタルは
世界中に遍在しており、
偏在

・ _____
・ _____
・ _____
・ _____
・ _____

ボールペン勉強法は、シャープペンシルや鉛筆などの消しゴムで消すことのできる文房具をあえて使わないで勉強するというものです。

　おそらく、多くの人はノートやメモを取るのにシャーペンを使っていると思います。シャーペンなら、まちがって書いてしまったり書き損じても消しゴムで消すことができます。しかし、ボールペンはまちがっても修正テープや修正液を使わないといけないので、手間がかかります。ボールペン勉強法は**あえてボールペンで勉強することで、集中力や注意力を高める効果**があります。

1	ボールペンで書いて、 ノートをつくっていく

2	まちがえたところは二重線（＝）で消して、 新しく書き直すようにする

3	正しい内容を書き、あとで復習する

簡単に消せないボールペンの意外な効果

　ボールペンは、簡単に消すことができません。だからこそ、まちがえたポイントが理解できるようになるのです。

　たとえば、数学で考えてみましょう。計算を進めていて、途中でまちがいに気づいたとき、シャーペンを使っていたらその計算を消してしまいますよね。しかしこれ、とんでもなくもったいない行為です。消してしまったらあとでノートを見返したときに、自分がどこでまちがえたのか、どうしてまちがえたのかがわからなくなってしまうからです。ほかの科目でも同様です。たとえば「偏在」と書くべきところを「遍在」と書いてしまっても、消さなければ、「自分はここでまちがえたんだな」とわかりますね。

まちがえたポイントは重要な情報

　つまり、**「自分がまちがえたポイント」は、実はとても重要な情報**なのです。

　ボールペンを使うと、まちがえても消せないので、どこでまちがえたのかが残ります。また、消しゴムでいちいち消す作業がないので、時間の短縮にもなります。そのうえ、「まちがえたら消しゴムで消すことができない」という緊張感から、シャーペンを使うときよりも集中して手を動かすことになるのです。このようにボールペンを使うことには大きなメリットがあるのです。

　また、使うボールペンの色はなんでもかまいませんが、黒色よりも青色のほうが、集中力が上がる効果があるといわれています。

ボールペン勉強法は、意外と難しいのです。慣れないうちは、ミスが怖くなり、上手に書くことができなかったり、書き損じが気になってしまったりして、なかなか勉強がはかどらないかもしれません。しかし、そこを乗り越えると、ボールペンのほうが勉強しやすいという人もいるくらいです。「消すことができない」というギリギリの感じを、ぜひとも味わってみてください！

おすすめの本

• 『「思考」が整う東大ノート』
情報を整理して、理解して、説明できるようになるノートの使い方です。
西岡壱誠（著）、ダイヤモンド社

感情相関勉強法

感情に応じて文字を大きくするノート術

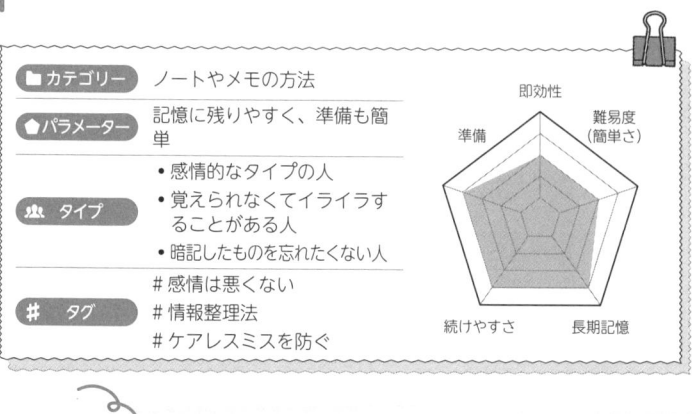

カテゴリー	ノートやメモの方法
パラメーター	記憶に残りやすく、準備も簡単
タイプ	• 感情的なタイプの人 • 覚えられなくてイライラすることがある人 • 暗記したものを忘れたくない人
# タグ	#感情は悪くない #情報整理法 #ケアレスミスを防ぐ

即効性 / 難易度（簡単さ）/ 準備 / 続けやすさ / 長期記憶

やり方

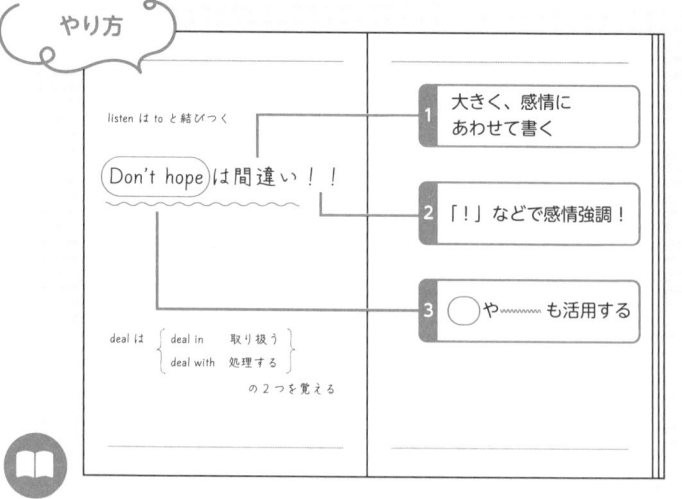

listen は to と結びつく

Don't hope は間違い！！

deal は { deal in　取り扱う / deal with　処理する } の2つを覚える

1 大きく、感情にあわせて書く

2 「！」などで感情強調！

3 ◯や〜〜も活用する

感情相関勉強法は、ノートをつくる際、テキストや参考書を読む際に、感情に応じて文字のサイズや色の使い方などを変えて書く勉強法です。通常、ノートをとる際には論理的で無感情に書いていきますが、脳の一つの作用として、**感情と相関関係にあるもののほうが記憶しやすい**といわれています。ものを覚える機能を持っているのは脳の海馬とよばれる部位ですが、その海馬の近くには感情を司る扁桃体があり、感情と暗記には相互作用があるといわれています。感動的な話は覚えていることが多く、まちがえたことに対して怒りを覚えたものは忘れにくくなります。

　思わず怒りを覚えたことについては大きめの文字にして、色をたくさん使ったり強調して「次はまちがえない‼」というように、感情とセットにして書くのです。

実際のノート

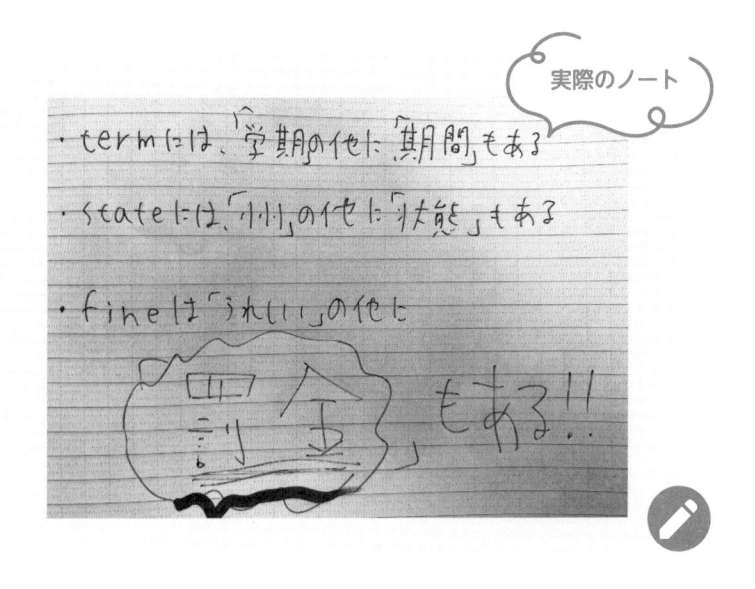

・termには、学期の他に「期間」もある

・stateには「州」の他に「状態」もある

・fineは「うれしい」の他に

罰金　もある‼

感情と記憶は相関する

感情相関勉強法が効果を発揮するのは、テストの復習をしている
ときです。たとえば、テストでできなかった単語に対して、本気で
「なんでこんなところでまちがえてしまったんだ！」と自分への怒り
を覚えるようにするのです。ミスしたことに本気で怒ると、次から
はまちがえないようになります。また、その怒りをノートに書くと、
見直すときにその怒りを思い出して、「同じミスはしないぞ！」と思
い、忘れなくなります。

とくに、36 ページで紹介したミス集め勉強法と組み合わせて、
ミスノートにそのときの感情を書き込むと効果的です。

言葉は思い出と連動させよう

同じように、**言葉は勉強時の思い出と連動させて覚えると忘れに
くくなります。**たとえば、先生がやたらと強調していたとか、その
言葉の響きが気にいってしまったとか、勉強をしながらお菓子を食
べてハッピーだったとか、なんでもいいので感情が動いたときの言
葉を強調しておくのです。東大生のなかには、その言葉を勉強して
いる際に食べたお菓子の絵を描いていた人がいました。無機質な
ノートではなく、自分にしかつくれないような感情増し増しのノー
トをあえてとることに意味があるのです。

やってみた！

ノートをつくるだけでなく、重要だと思う事項を参考書やテキストに書き込んだり、過剰なほどにペンで強調したりしてもいいでしょう。また、模擬試験や過去問を解いたあとにまちがえた問題の箇所の問題用紙や解答用紙に大きく「ここがまちがっている！」「ここが自分の弱点！」と書き込むのもいいと思います。こうすると、あとから振り返ったときに絶対に見落としませんし、「ここまで書いていたなんて、本当に重要なんだな」ということがわかるはずです。

おすすめの本

• 『東大モチベーション』
「なかなか勉強が続かない」が「100％続く」に変わるためのテクニックが満載です。
西岡壱誠（著）、かんき出版

記憶定着や復習の方法

日々の学習では、覚えた内容を復習することが欠かせません。
ここでは、暗記法や復習法を紹介します。

---

p.50

正の字勉強法

なにができなかったかを可視化して、モチベーションを維持する暗記術

#「正」の文字を書くだけ

#英単語や記憶系

#復習にも使える

---

p.54

返し縫い勉強法

返し縫いをするようにくり返すことで、記憶を補強する

#復習に最適

#暗記系

#ずぼらでもできる

---

p.58

30秒見勉強法

即、答えが浮かぶか確かめる瞬発力の勉強法

#瞬発力を鍛える

#復習に最適

#効率的に勉強できる

---

p.62

白紙勉強法

毎日、白い紙に自分の勉強したことを再現してみる勉強法

#紙とペンがあればいい

#復習に最適

#継続は力なり

見つける！

| 基本の勉強法 ▼ | 日常の学習 ▼ |
| 暗記法 ▼ | 復習法 ▼ |

p.66

書き出しメモリーチェック

習ったことを全部思い出せる限り書き出そう

#紙とペンがあればいい

#授業の受け方が変わる

p.70

タイムカプセル暗記ゲーム

過去の自分からの挑戦状

#楽しみながら覚える

#復習にも使える

#自分で問題をつくる

p.74

予習・復習カウント勉強法

予習中の「これ、前にも見たな……」をすぐチェック！

#予習も復習も大事

#教材活用法

正の字勉強法

なにができなかったかを可視化して、
モチベーションを維持する暗記術

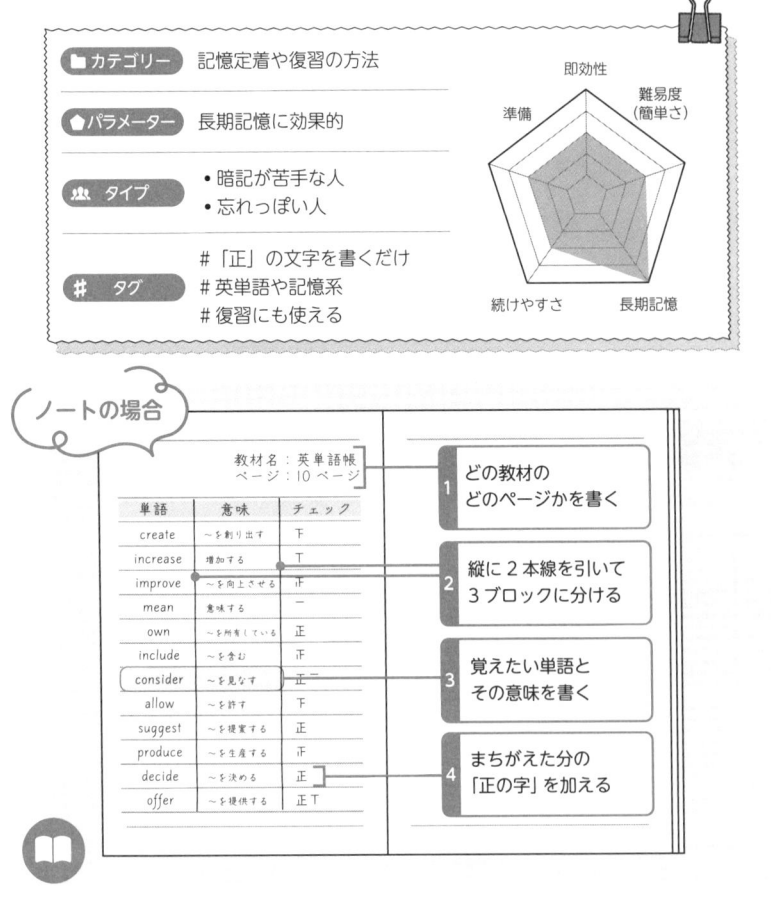

■ カテゴリー 記憶定着や復習の方法

● パラメーター 長期記憶に効果的

🏫 タイプ
・暗記が苦手な人
・忘れっぽい人

 # タグ
「正」の文字を書くだけ
英単語や記憶系
復習にも使える

（レーダーチャート：即効性／難易度（簡単さ）／長期記憶／続けやすさ／準備）

ノートの場合

教材名：英単語帳
ページ：10 ページ

単語	意味	チェック
create	～を創り出す	下
increase	増加する	T
improve	～を向上させる	疋
mean	意味する	ー
own	～を所有している	正
include	～を含む	疋
consider	～を見なす	正二
allow	～を許す	下
suggest	～を提案する	正
produce	～を生産する	疋
decide	～を決める	正
offer	～を提供する	正T

1 どの教材の
どのページかを書く

2 縦に 2 本線を引いて
3 ブロックに分ける

3 覚えたい単語と
その意味を書く

4 まちがえた分の
「正の字」を加える

正の字勉強法は、ノートや単語帳に、**解けなかったものやわからなかったものに対して「正」の字を書き加えていく**勉強法です。暗記の勉強が苦手な人や、どうしても覚えられない単語がある人、そして「忘れっぽい人」におすすめです。

　おもに、英単語の勉強や用語の暗記勉強など、くり返し復習することで記憶が定着していくものを勉強するときに用いるのが一般的です。

　「正」の字が増えるということは、もっと復習する必要があるということです。その際、どの単語が答えられなかったのか、解けなかったものはどれなのかが一目瞭然でわかるので効果的です。

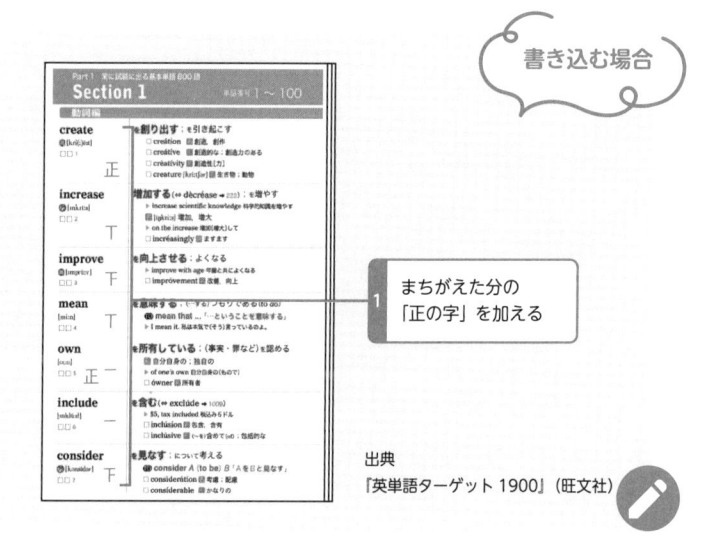

書き込む場合

1 まちがえた分の「正の字」を加える

出典
『英単語ターゲット 1900』（旺文社）

「何回忘れたか」をカウントすることに意味がある

暗記でつらいのは、あまり「積み上がった」ように感じ取れないところにあると思います。

一度しっかり覚えても、忘れてしまうことってよくありますよね。だからこそ復習が大事です。先週もやった勉強を、今週もやらなければ覚えられるようになりません。でもそれがほかの勉強に比べて、足踏みしているように感じる人も多いと思います。

本当は、何回も「忘れては覚え直す」をくり返すことで、定着していきます。1回では覚えられないから、何度もくり返す必要がある。だから実は、1回覚えて忘れたのと、5回覚えて忘れたのとでは、意味合いが全然違います。よく、**5〜7回は忘れている状態だと忘れなくなっている**、といわれます、ですから、5〜7回はガッツが必要で、同じ「忘れている」でも、このガッツを持って実践するかどうかは全然違います。そういうときに効果を発揮するのが、正の字勉強法なのです。

この方法なら、「何回忘れたか」をカウントできます。そして、これにはきちんとした意味があります。いま、自分が何回目なのかを

チェックすることで、**暗記の勉強が「しっかり前に進んでいる」という感覚が得られて、モチベーションが維持できる**のです。

ある程度学習が進んだら

ノートに正の字が書けるスペースをつくりましょう。見返す頻度としては１日１回くらいで行うとよいでしょう。また、正の字が多かったものだけを抜き出して、別のリストをつくるのも有効です。

 やってみた！

ノートに正の字を書くスペースをつくるだけでなく、単語帳などに直接「正」の字を書いていくのもおすすめです。東大生はこのような特殊なノートを使って、何度も反復練習しています。そしてそのうえで、どんどん単語リストを追加しているのだとか。みなさんも、ぜひ試してみてください。

おすすめの **本**

・『天才の思考回路をコピーする方法』
整理、記憶、理解、進捗管理などテーマごとにノートのつくり方と実物が豊富に掲載されています。
片山湧斗（著）、日本能率協会マネジメントセンター

返し縫い勉強法

返し縫いをするようにくり返すことで、記憶を補強する

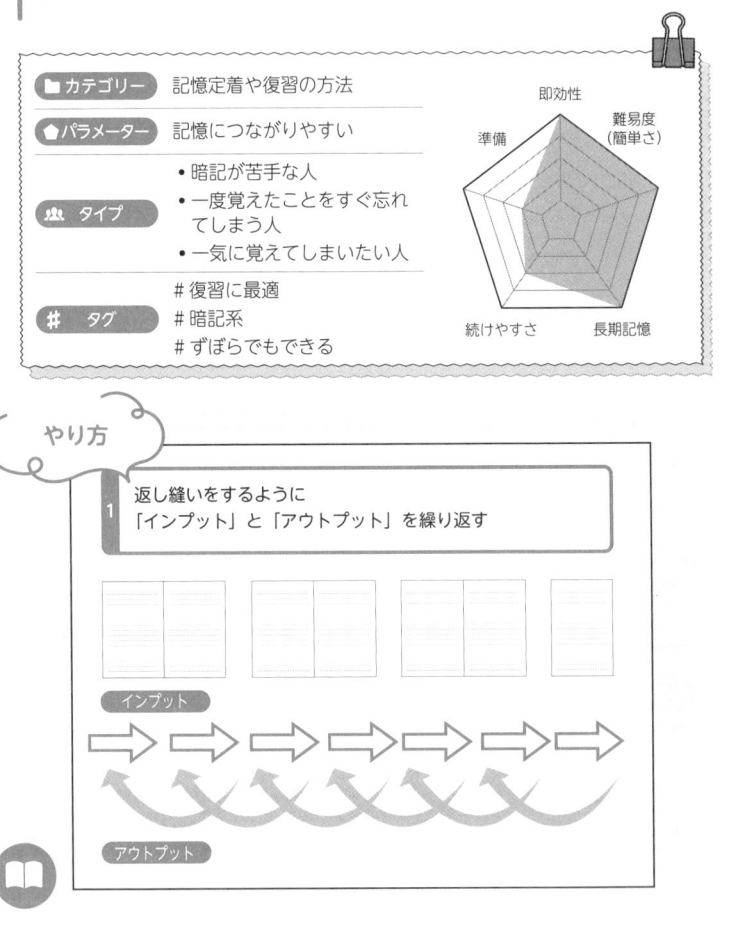

📁 カテゴリー	記憶定着や復習の方法
♠ パラメーター	記憶につながりやすい
👥 タイプ	・暗記が苦手な人 ・一度覚えたことをすぐ忘れてしまう人 ・一気に覚えてしまいたい人
# タグ	# 復習に最適 # 暗記系 # ずぼらでもできる

即効性
難易度（簡単さ）
準備
続けやすさ
長期記憶

やり方

1 返し縫いをするように
「インプット」と「アウトプット」を繰り返す

インプット

アウトプット

みなさんは、「返し縫い」をご存じでしょうか？　縫い物の技法のひとつで、一度縫った部分を逆に縫い返しながら縫い進めることで、補強の役目を果たします。一般的に、記憶術として有効なのは質よりも量です。ゆっくりじっくりと一度の暗記術ですべてを覚えるのではなく、**ざっとでもいいから、何度も全体を見返す、回転数を増やす**ことで、忘却に強い幕を張る。そのようなイメージで進めると、暗記はうまくいきます。

　ここで返し縫い勉強法が使えます。次の事項に進む前に前の事項を振り返って確認することで、忘却防止のテストと復習を一挙に行うことができます。テストのタイミングとしても、一度別の事項を体験したあとなので、効果的です。普段の暗記にひと手間加えるだけで、比べものにならないほど良質な暗記をすることができるのです。

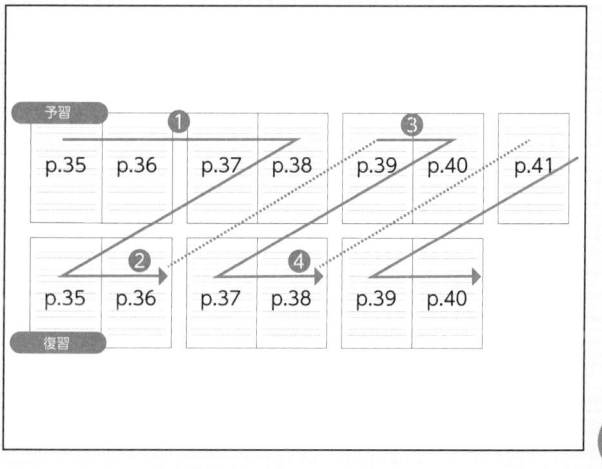

返し縫い勉強法の具体的な方法

この暗記術は、非常に簡単です。普通に暗記を進める際に一手間加えるだけです。その手間とは、「**該当ページの暗記が終わったら、1ページ戻って理解力テストをすること**」だけ。

たとえば、あなたがいま37〜38ページの単語を覚えているとします。そして、その単語の暗記がほぼ終了したので「よし、次に進もう」と普通は考えますが、返し縫い勉強法では、ここで一度引き返します。つまり35〜36ページの単語をすべてテストするのです。

このとき、戻ったページの単語はなるべく目に入れないようにします。あくまで、自分がどれだけ暗記しているかを試すだけですから、答えは見ません。そして、まちがえた単語にはしっかり印をつけます。

テストが終わったら2ページ、つまり39〜40ページに進んで、覚える作業を行います。37〜38ページはすでに暗記しているはずなので、ここでは触れません。そして、39〜40ページの単語を覚えたら、また1つ戻って、37〜38ページの単語のテストを行います。暗記する予定の範囲のすべてが終了するまで、これをくり返します。

ここでは単語の暗記を例にしましたが、数学などの問題演習などでも使えます。問題を解いたら、ひとつ前のページに戻って、そのページの問題の解き方を頭のなかでなぞる。ここで解法のあらましが頭に浮かべばOK。まったく浮かばないようなら、あなたはその問題が解けていないことになります。

自分の記憶力や理解度を試すのに最適な勉強法です。ぜひ実践してみてください。

やってみた！

私は英単語の暗記にこの方法を使っていました。朝起きてから、30分で100単語のペースで進めていきます。返し縫い勉強法を使いつつ、100単語が終わったら、その100単語をすべてもう一度復習します。こうして、二重に返し縫いを行うことで記憶の補強を行いました。

返し縫いは英語や数学に限らず、何度も問題をくり返して演習するタイミングでどの科目、試験でも使えます。いろいろな勉強に応用して、自分だけの返し縫い勉強法を研究してみてください。

おすすめの本

・『現役東大生がこっそりやっている、すごい！勉強のやり方』
学びを「試練」でなく、「楽しみ」に変えるコツが満載です。
清水章弘（著）、PHP研究所

30秒見勉強法

即、答えが浮かぶか確かめる瞬発力の勉強法

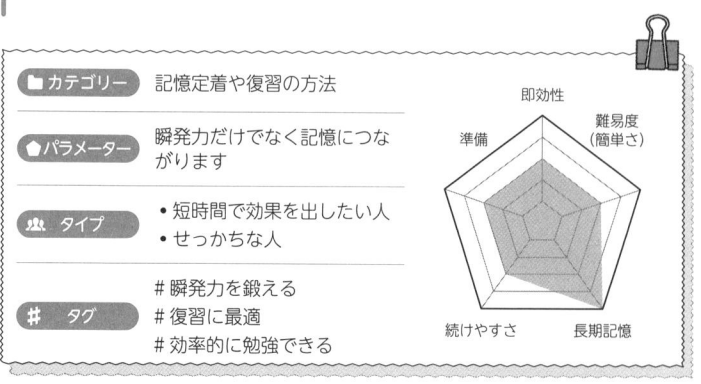

📁 カテゴリー	記憶定着や復習の方法
⬟ パラメーター	瞬発力だけでなく記憶につながります
👥 タイプ	・短時間で効果を出したい人 ・せっかちな人
# タグ	# 瞬発力を鍛える # 復習に最適 # 効率的に勉強できる

即効性 / 難易度（簡単さ）/ 準備 / 続けやすさ / 長期記憶

やり方

STEP1
まずは30秒問題を見て、
思いつくかどうか確認！

STEP2
思いつかなかったら、
すぐに答えを確認！

STEP3
答えを見て、答えをそのまま
覚えてしまう勢いで
読み込みをする！

30秒見勉強法はその名のとおり、30秒間問題を確認するだけの勉強法です。もちろん、ただ眺めているだけではありません。**30秒のあいだに、答えが頭に浮かぶかを確かめる**のです。

単語や選択肢式の問題であれば、すぐに答えられるでしょう。数学の文章問題のような長文の問題の場合なら、解答の方向性を確かめるようにしましょう。

この30秒見勉強法は、復習に最適な方法です。学んだ内容がしっかりと頭に入っていれば、30秒もあれば答えやその方向性が浮かぶはずです。逆に、答えを理解できていなければ、30秒間うなっているだけで終わるでしょう。

短い時間で瞬発力をもって答えを制する。受験では必須の能力です。これを鍛えるために、時間を無駄にしない30秒見勉強法を実行してみましょう。

1 ここで30秒以上かかるとダメなので、しっかり30秒を計る

2 答えを見てもわからなかったら、知識不足といえるので、解答を読み込む段階に戻る

30秒見勉強法の具体的な方法

　復習したい問題を用意します。そして、その問題を 30 秒以内に解けるかどうか確認します。先ほど述べたように、単語や選択肢式の問題であれば、そのまま答えを選んでください。数学の文章題のように長くて複雑な問題なら、答えの方向性やとっかかりがつかめるかを考えましょう。たとえば、「この問題は、与えられている式を a について整理して、そうすると a に関しての二次方程式のように見られるから〜」というように、答えることができれば合格です。逆に、なにをすればいいのかわからずにかたまってしまうのであれば、その問題は復習不足と判断して、また解答を読み込む段階に戻りましょう。

なぜ30秒なのか？

　なぜ 30 秒見勉強法をするのか？　それは、しっかり問題が理解できているか確認するためです。**本当にその問題が理解できているのであれば、問題を見た瞬間に、その問題の答えの方向性がわかるはず**です。もしも答えられないならば、それは記憶してしまうほどに復習していない証拠。つまり復習不足です。

　一問一問の理解度をおろそかにしていては、分野や単元全体の理解など及ぶはずもありません。では、どうしたら理解したといえるようになるのか。その一つの指標が、30 秒間で答えの方向性を立てられるか、ということなのです。自分のなかの「わかった」「わからない」といったあいまいな印象やイメージに頼らず、数字に裏打ちされたハッキリとした目安をつけることで、理解度をだれの目に

も明らかな形で確かめることができます。

実際に、多くの東大生がこの勉強法を試しています。一つひとつすべての問題を解き切る時間は受験生にはありませんから、この勉強法を試すことによって、本当に復習すべき問題と、復習の必要がない問題とに分けているのです。とくに数学の問題などは解くために多くの時間を必要とするので有効です。選択肢式の問題などでも、しっかり根拠があって答えられているかどうかを気にするようにしてください。正解の選択肢が選べるなら、「選ばなかった選択肢は不正解」とわかっているはずです。では、なぜ不正解なのか。そこまで確信を持って選べるようにしましょう。

おすすめの 本

• 『東大式節約勉強法』
目標達成のための最短ルートや最小のコストでできる具体的な勉強法が満載です。
布施川天馬（著）、扶桑社

白紙勉強法

毎日、白い紙に自分の勉強したことを再現してみる勉強法

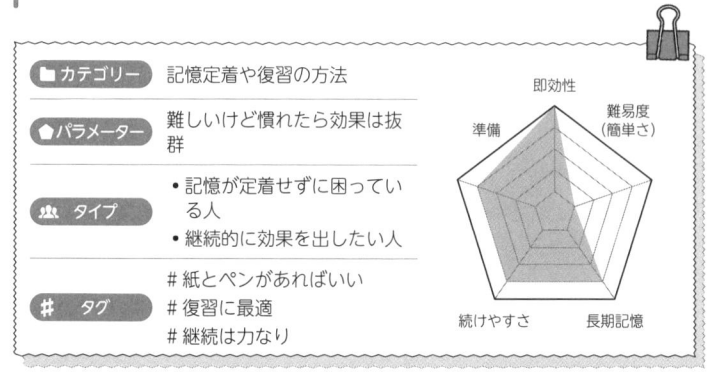

🗂 カテゴリー	記憶定着や復習の方法
🔺 パラメーター	難しいけど慣れたら効果は抜群
👥 タイプ	・記憶が定着せずに困っている人 ・継続的に効果を出したい人
# タグ	# 紙とペンがあればいい # 復習に最適 # 継続は力なり

レーダーチャート: 即効性、難易度（簡単さ）、長期記憶、続けやすさ、準備

やり方

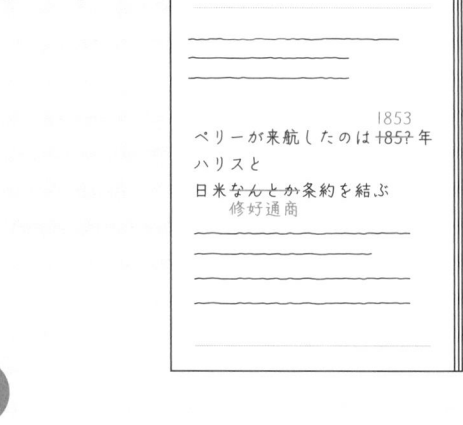

> 　　　　　　　　1853
> ベリーが来航したのは 1857 年
> ハリスと
> 日米なんとか条約を結ぶ
> 　　修好通商

白紙勉強法は、白い紙を用意し、**なにも見ないで書き出してみ
ることで、自分が勉強した内容をどれくらい覚えているのかを毎
日チェックする**ものです。

　英語でも数学でも、「学んだことを再現してみよう！」という意
識で、白い紙に毎日アウトプットするのです。これを徹底するこ
とで、復習をしつつ、理解を深めたり、定着をはかることができ
ます。

　一度実践してみるとわかると思いますが、いざ白い紙に書こう
としても、なかなか書けないことがあると思います。

　「自分はこんなに覚えていないのか!?」と愕然とするかもしれま
せん。しかし、白い紙に書けていないということは、頭に残って
いないというのと同義なのです。

---

① 覚えていることを書く

▶10分間程度、あやふやでもいいので、
　覚えていることをとにかく書くようにしよう！

② 正しいものを赤字で書く

▶本やノートを見ながら忘れていた部分を確認しよう

③ 結果が悪かったら再チャレンジ

▶赤字が半分を超えたら翌日再チャレンジ！

白紙勉強法の具体的な方法

　実行するのは毎日の勉強が終わったあとです。その時点で、白い紙を用意して、スタートします。

STEP1　10分間、今日自分が勉強したことを書いてみる

　自分が書いたメモやノートを再現するつもりで書き出します。覚えていることも覚えていないこともあると思います。まずはなにも見ずにアウトプットしましょう。うろ覚えのことも、忘れてしまっていることもあるかもしれませんが、それも込みでアウトプットしてください。

　「なんとかかんとかという法則があって、それはおそらくこういう意味だったと思う。まちがってるかも」などと、覚えている部分と忘れている部分の両方をアウトプットするのです。

STEP2　もう10分間で、今度は本やノートを見ながらまちがっているところを赤字で直していく

　今度はノートやメモなどを見ながらでいいので、自分が忘れていた部分をきちんと確認しましょう。「あ！　メラビアンの法則だ！そうだった！」と、自分の書いたものに丸つけするつもりで赤字で訂正しましょう。

STEP3　できが悪かったものは、翌日も再チャレンジする

　赤字が50％以上の場合は、次の日もチャレンジしましょう。はじめはなかなかうまくいかなくても、最終的にはかなり再現できるようになります。

白紙勉強法を継続していけば、アウトプットできる量が増えます。これは記憶力が上がったからではありません。「あとからアウトプットするときがくる！」という意識がインプットの質を高めてくれるのです。ぜひ、この方法で勉強の質を高めてください。

やってみた！

実際にやるとなると、どの科目でも実践するのは難しいですから、1つの科目や分野に絞って実践しましょう。たとえば、英語の勉強をした日の終わりでもいいですし、「そんなに頻繁にできない」という人は、1週間のうちの決まった時間に行いましょう。継続的なアウトプットが勉強にいい影響を与える、というのがこの白紙勉強法の本質なので、とにかく続けることに意味があります。継続して実践できないのであればあまり意味がありませんので、ぜひ継続できるペースでやってみましょう。

おすすめの本

• 『大量に覚えて絶対忘れない「紙1枚」勉強法』
紙1枚でできる「忘れさせない大量記憶法」など大量に覚えて忘れないメカニズムがわかりやすく解説されています。
棚田健大郎（著）、ダイヤモンド社

書き出しメモリーチェック

習ったことを全部思い出せる限り書き出そう

📁 **カテゴリー**	記憶定着や復習の方法
♠ **パラメーター**	お手軽だけど結構根気が必要です
👥 **タイプ**	• 授業が理解できているか不安な人 • 一日の終わりに成果を確認したい人
# **タグ**	# 紙とペンがあればいい # 授業の受け方が変わる

即効性
難易度（簡単さ）
準備
続けやすさ
長期記憶

やり方

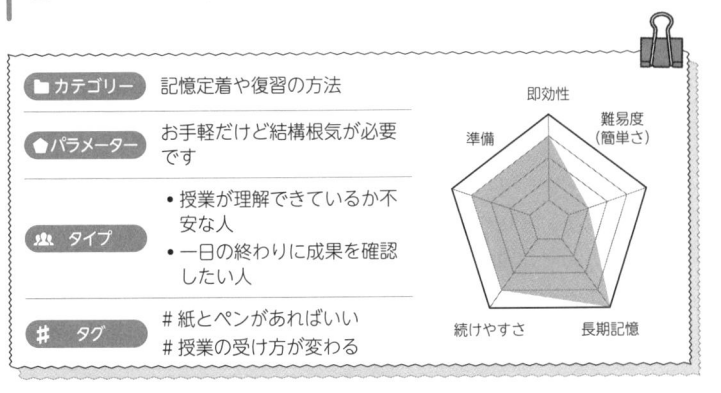

ナポレオン
　エジプト遠征　　1798 年
　　←対オスマン帝国
　　　ー マルムーク
　　ネルソンと戦う
　　（イギリス海軍）

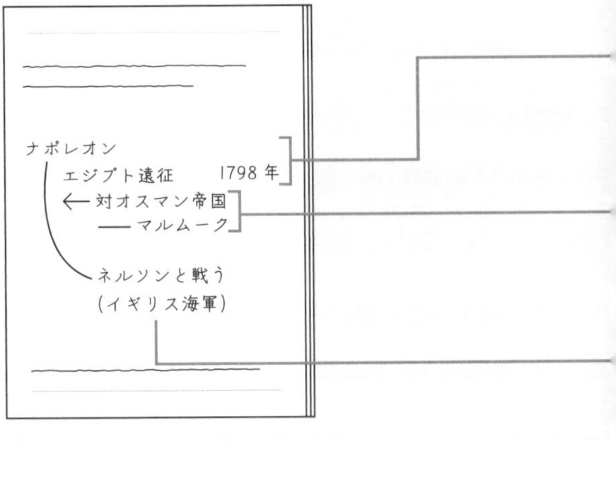

書き出しメモリーチェックは授業やテキストの内容を振り返って、**思い出した事柄をひたすら紙に書き出す復習法**です。習ったことを思い出して書き出すことで記憶を定着させつつ、理解度の低いところがどこかを知ることができます。まっさらな紙とペンだけあればいいというお手軽さも特徴です。

　内容をまったく思い出せない状態ではこの方法が成り立ちません。あまりあいだをあけず、勉強してから1週間以内を目安に取り組むとよいでしょう。

　書き出す事柄がたくさんある授業やテキストは、情報量が多く内容が詰まっているということです。覚えることが多くて「大変な授業」こそ、それだけ多くの知識が身につく「いい授業」といえるでしょう。あきらめずに取り組めば、きっと力になるはずです。

1	単語を書き出す

2	それとつながることを「→」や「ー」で結んでいく

3	思い出したら（　）で追記しよう

書き出しメモリーチェックの具体的な方法

まず、まっさらな紙とペンを用意します。理解度・暗記度をチェックしたい授業やテキストなどについて、内容を思い出し、紙に書き出します。このとき、なにも見てはいけません。ただ自分の記憶だけを頼りに、授業やテキストの内容を再現してみましょう。

内容を書き出すといっても、授業中に書いたノートやテキストの文章を丸暗記して、そのまま再現しようとする必要はありません。最初は単語の箇条書きでかまわないので、思い出したことを文字にしましょう。くわしい説明が思い出せたら単語の横に書いたり、関連する単語どうしを線で結んだりして、重要なことも些細なことも書いていきます。

再現度を高めるコツ

再現度を高めるコツは、**一つの事柄から関連させて思い出す**ことです。たとえば「聖徳太子が小野妹子を遣隋使として派遣した」ことを思い出したら、「西暦何年だっけ？」「遣隋使ってその後どうなったんだろう？　遣唐使ってのもあったよな」「このときの中国は隋だったんだ。どんな王朝だっけ？」というように、芋づる式に派生させて思い出します。

その授業やテキストについて覚えていることは全部書けたと思ったら、ノートやテキストを取り出して、紙に書き出したものと見比べてみましょう。あまり書き出せなかったからといって落ち込む必要はありません。覚えられなかった箇所が明確になれば、そこを重点的に見直すことで効率的に復習することができます。

やってみた！

書き出しメモリーチェックに慣れたら、今度は「あとで書き出しメモリーチェックをするんだ」という前提で新しい内容に取り組んでみましょう。

あとで思い出しやすいようにと考えると、ただ漫然と情報を受け取るだけではなく、どの情報が重要なのかを意識しつつ事柄どうしの関連性を印象づけて覚えようとします。授業を受けるときの態度、テキストに取り組む姿勢が大きく変わるのです。

おすすめの本

• 『すごい「勉強法」 読む・書く・覚える 短時間のやり方』
「一度覚えたこと」を絶対忘れない、「最強の記憶力」を最短で実現する方法などがまとまっています。
高島徹治（著）、三笠書房（知的生きかた文庫）

タイムカプセル暗記ゲーム

過去の自分からの挑戦状

■ カテゴリー	記憶定着や復習の方法
◆ パラメーター	手間はかかるが長期記憶への効果は抜群
⚩ タイプ	• 数日経つと忘れてしまう人 • 知識を確認したい人 • 日々の学習サイクルに暗記を取り入れたい人
# タグ	# 楽しみながら覚える # 復習にも使える # 自分で問題をつくる

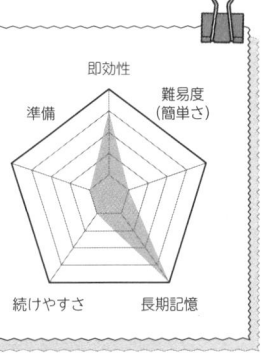

即効性
難易度（簡単さ）
準備
続けやすさ
長期記憶

やり方

STEP1
まずは問題つくる！
なるべく自分が
まちがえそうなもの

> 1 どんな問題が出されたかは覚えていない状態で OK

STEP2
3 日間寝かせて、
その問題は見ない

> 2 満点以外は認めない。しっかり満点を取れるように勉強すること！

STEP3
その問題を振り返って、
満点が取れるかどうかを
チェックする！

単語帳や参考書を暗記するうえで大切なのは、「暗記したもの
を忘れないこと」です。「記憶を定着させる」と言い換えることも
できるでしょう。人間は忘れる生き物ですから、がんばって１日
で100単語を覚えたとしても、３日も経てばかなり忘れてしまい
ます。

　一度覚えたことを「忘れていないかチェックする」のも、実は
大変な作業です。**一度覚えて「覚えたつもり」になっている知識
を数日後に改めて問い直す**、それがこの「タイムカプセル暗記
ゲーム」です。

　覚えた直後に20問テストをつくり、自分に宛てて「タイムカ
プセル」に保管します。３日経ったら開けて自分がつくったテス
トを解くことで、暗記したことが本当に定着しているのかを効果
的に確かめることができます。

実際のノート

(1)「subject」の意味を３つ答えよ。

(2)「darkness(名)」暗闇 に関連する単語を答えよ。
　　　　　(形) 暗い

(3)「share A with B」の意味を答えよ。
　　　A と B を

(4) 次の単語の正しいものを答えよ。
(A) knowledge　(B) knowladge　(C) knowlodge

(5)「期間、用語、条件」を意味する単語を答えよ。

(6)「Press」が意味する(動) 押す 以外の意味を答えよ。
　　(名)

(7)「figure」の意味を答えよ。
　　(名) 姿

基本的な学習方法

まず、暗記したい参考書や単語帳を用意して、範囲を区切り目標を定めます。参考書5ページ、単語帳から100単語など、一定の範囲に絞って暗記に取り組みます。範囲全体をひととおり暗記できたと思ったら、その範囲から20問のテストを作成します。問題の形式は一問一答でも穴埋めでも選択式でもかまいません。未来の自分が解くことを想定して、自分が3日後には忘れてしまいそうなものを選びましょう。

作成したテストはコピーして、見えない場所に保管します。保管場所は「タイムカプセル」ですので、保管しているあいだには決して見てはいけません。テスト作成から2日間、「テスト勉強」に取り組みます。参考書や単語帳の該当範囲を復習し、暗記できている状態を保ちます。

テスト作成から3日目は復習をせずに「タイムカプセル」を開封し、テストに取り組みます。3日前の自分と真剣勝負をして、満点が取れなければ2日間の暗記が不十分だったということになります。満点が取れなかった場合は、もう一度その範囲を覚え直し、翌日にもう一度同じテストをしましょう。満点が取れるまでこれをくり返します。

複数の範囲を同時並行で行う方法

慣れてきたら、複数の範囲を同時並行で行ってみましょう。初日に単語帳の5ページ分でテストをつくって保管したら、2日目はその範囲の復習をしつつ、同時に次の5ページ分を暗記してテストを

つくります。3日目も範囲2つ分の復習と同時に、その先の5ページ分を暗記してテストをつくり、4日目には最初の5ページのテストを「タイムカプセル」から取り出します。次の日以降もこのサイクルを続けることで、暗記の範囲を先へと進めていきます。

実行してみると、自分でつくった問題なのに、なぜか答えられなかったりします。それもそのはずで、自分が難しいと感じている箇所なので、自分にとっては「弱点に等しい箇所ばかりが出題されているテスト問題」になるのです。そしてそんな問題だからこそ、暗記に対しては大きな効果を発揮します。これだけで暗記系の科目・テストは乗り切れるといっても過言ではないでしょう。

おすすめの本

• 『現役東大生が教える 「ゲーム式」暗記術』
ゲーム方式で楽しく独学で暗記できる方法が満載です。
西岡壱誠（著）、ダイヤモンド社

予習・復習カウント勉強法

予習中の「これ、前にも見たな……」をすぐチェック！

📁 カテゴリー	記憶定着や復習の方法
⭐ パラメーター	慣れたら効率的な勉強が可能
👥 タイプ	・なにを予習すればいいのか わからない人 ・見たことあるけど思い出せ ない人
# タグ	# 予習も復習も大事 # 教材活用法

レーダーチャート：即効性／難易度（簡単さ）／長期記憶／続けやすさ／準備

やり方

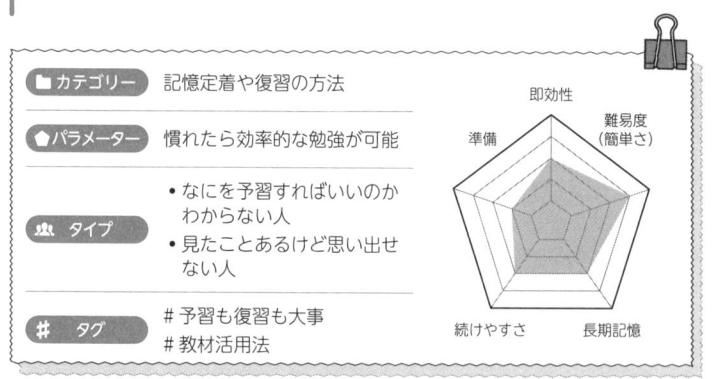

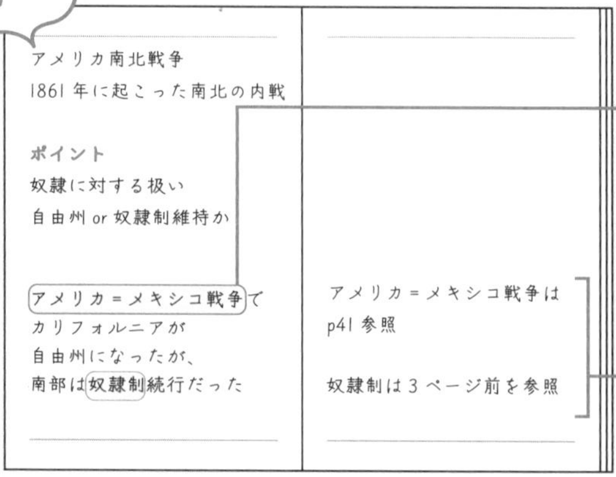

アメリカ南北戦争
1861年に起こった南北の内戦

ポイント
奴隷に対する扱い
自由州 or 奴隷制維持か

アメリカ＝メキシコ戦争で
カリフォルニアが
自由州になったが、
南部は奴隷制続行だった

アメリカ＝メキシコ戦争は
p41 参照

奴隷制は3ページ前を参照

勉強をしていると「予習が大切」といわれることが多々あります。しかし、実際のところ「予習ってなにをすればいいんだ？」と思っている人も多いのではないでしょうか。ここで紹介するのは、一度解いた「復習したい教材」を手掛かりに、「予習したい教材」を解き進める勉強法です。

　予習してもなかなか理解できないのは、それがまだ習っていない「未知の情報」だからです。しかし、一度学んだ内容を手掛かりにして「未知の情報のなかの既知の情報」を見つけることができれば、予習・復習の精度は飛躍的に高まります。新しい事柄を一から覚えるのではなく、すでに学んだ事柄と結びつけて理解することで、予習の段階で理解できることが一気に増えるのです。

1　予習していくなかで、
　　前の項目とのつながりを見つける

2　ページ数などでどこを見れば
　　復習できるのかを指定する

具体的な学習方法

はじめに、同じ分野で「予習したい教材」と「復習したい教材」の２つを用意します。教材は単語帳や用語集でも、テキストや参考書でも、なんでもかまいません。もし手元に途中まで読み終えた単語帳が１冊あるなら、「まだ読んでいない半分を予習、読んだ半分は復習に」することもできます。

用意ができたら、まず「予習したい教材」を解き進めます。予習を進めるなかで、少しでも「復習したい教材」のなかに出てきた事柄と関係する事柄を見つけたら、その都度「復習したい教材」を読み返します。たとえば、「似たような意味の単語、前にも見かけたな……」「この歴史上の人物、前のページにも出てこなかったっけ？」と思ったら、その場で読み返して復習するのです。

「復習したい教材」を読み返してみて、そこにどんな関連があるのか、「復習したい教材」の何ページに書いてあるのかなどを「予習したい教材」に書き込んでおきましょう。

読み返した回数をカウントしよう

このように「予習したい教材」に取り組みながら、「復習したい教材」を読み返した回数をカウントします。最初のうちは１時間に７回を目標に、関連する事柄を確かめながら「復習したい教材」をどんどん読み返してみてください。慣れてきたら10回、熟練者なら15回以上をめざしましょう。

「予習したい教材」を解き終えたら、今度はそれを「復習したい教材」として、また新しく用意した「予習したい教材」と一緒に復習しましょう。このとき、予習する際に書き込んでいた関連事項を手掛かりにすると、その前に復習した内容にまで関連づけて予習することができます。数を増やしたいために復習の時間を短くしてしまうのは本末転倒です。「なるべく関連事項を思い出す」ことを意識して取り組むようにしてください。

おすすめの **本**

・『東大式スマホ勉強術』
　スマホを駆使した効率的な勉強法が満載です。
　西岡壱誠（著）、文藝春秋

動画授業の注意点

　YouTube によってだれもが学べる時代になりました。学習につながる動画を公開している YouTube チャンネルは無数に存在し、自由にそして無料で観ることができます。動画授業は多くの人に活用してほしいですが、注意が必要です。それは、動画を観て、できる気になってしまわないようにすることです。

　たとえば、「動画や人の話を聞いて勉強すること」と、「書籍や文章を読んで勉強すること」の、最大のちがいはなんだと思いますか？　それは、「主体がどちらであるか」です。動画や授業は、こちらがなにもしなくても流れます。動画や話してくれる先生が主体で、こちらがただボーッとしているだけでも進んでいきます。しかし、読書はちがいます。読書は「読もう」と自分が思わないと、進んではくれません。自分でページをめくり、自分で目を動かさないといけないのです。

　この意味で、動画は圧倒的に受け身です。授業なら先生から当てられることもありますが、動画の場合は当てられることはありません。また、勉強は受け身ではなく、能動的にやろうとしたほうが効果が出やすいのです。ですから、動画を観ているときは受け身になりすぎないよう注意が必要です。メモを取ったり、CHAPTER2 で紹介する「質問読み」で質問をまとめてみたりするなどいろいろな方法があるので、ぜひ自分で工夫してみてください。

睡眠を取ろう

　みなさんは、記憶を整理するためには睡眠が大事という話を知っていますか？　実は、睡眠時間が短いと、記憶の定着率が落ちてしまうのです。

　基本的に脳は睡眠中に記憶を整理するといわれています。そのため、睡眠時間が少ないと暗記できるキャパシティが低くなってしまうのです。

　また、規則正しく生活のサイクルがまわっていない人は、勉強に向かう姿勢も悪くなってしまいます。頭をよくすることができる人とは、生活習慣や生活サイクルがしっかりとまわっている人だと思います。しっかりと朝早起きし、日の光を浴び、朝食を食べ、夜ふかしせずに睡眠を取る。あまり無理はせずに、決まった時間に食事・風呂・睡眠を取る。そういうことができていないと、なにかをやろうとしても途中で崩れてしまうことがあるのです。だからこそ、睡眠はとても大事なのです。

　ちなみに、東大に合格する人は、規律をしっかりと守り、学校の活動にしっかりと取り組んでいる場合が多いです。東大に合格する人なんて、学校の先生のいうことを聞かないような人だというイメージがあるかもしれませんが、そういうことはなく、実は学校の活動に全力で取り組んでいた人のほうが多いのです。

日本語の勉強もしよう

　みなさんは、おそらく日本語をしっかりと勉強する機会はほとんどないのではないでしょうか。でも、本書の勉強法を試して「なかなかうまくいかない」と思ったら、日本語の勉強をしたほうがいいかもしれません。

　10年ほど前の話ですが、「AIが東大に合格できるだけの学力を持てるのか」という研究が行われました。プロジェクトの責任者だった新井紀子先生は『AI vs 教科書が読めない子供たち』という書籍で、「大半の子供たちは、そもそも教科書が読めていない」と述べました。多くの「勉強ができない」は、「頭が悪い」のではなく、そもそも日本語の部分で問題があり、教科書や先生の話がわかっていないのだ、と。

　たとえば、「偏在」という言葉がわからない人が、「これらの資源は偏在しており……」なんていわれても理解できるはずがないのです。偏在は「偏って存在していること」を指し、「ほかの地域にはあまり存在していない、そこでしかあまり採れていないような資源」のことを「資源が偏在している」といいます。言葉がわかっていない状態で勉強をしても、英語がわからないのに英語で授業を聞いているようなもので、理解できるはずがないのです。

　なんとなく「日本語だし大丈夫だろう」と考えていると、痛い目にあうわけです。もし、なにか思い当たる節があるのであれば、ぜひ日本語の勉強をしてみましょう。

CHAPTER 2

実践的
な
勉強法

戦略や目標設定

勉強といっても、やみくもに取り組んでは結果は出ません。
目標やスケジュールなど戦略も必要です。
ここでは、戦略や目標設定のための方法を紹介します。

p.84

パーセンテージ勉強法

計画からどのくらい終わっているかを明確にする勉強法

#進捗管理術

#心が折れるのを防ぐ

#ガントチャートをつくる

p.88

努力分解思考

マトリクスで目標・目的が明確になる

#目標設定法

#マトリクスで考える

#心が折れるのを防ぐ

p.92

二重目標

最高目標と最低目標の2つの目標でモチベーションの維持をはかる

#目標を2つ決める

#モチベーション維持法

p.96

水平思考

選択肢を考えることで物事を決めやすくする

#優先順位のつけ方

#やるべきことがわからない

見つける！

| 実践的な勉強法 ▼ | 合格戦略 ▼ |
| 目標設定 ▼ | スケジュール ▼ |

p.100

ゴール思考

ゴールから逆算して、本当にやるべきものだけを抽出する

#逆算思考

#やるべきことがわからない

#受験期はロボットになれ

p.104

習慣化思考

やる気がなくても OK！「自動モード」をつくり出そう

#ルーティンをつくる

#時間術

#どこで勉強するか

p.108

SMART思考

具体、測定可能、達成可能、つながり、締め切りで整理する目標明確化

#目標は明確に

#目標設定法

パーセンテージ勉強法

計画からどのくらい終わっているかを明確にする勉強法

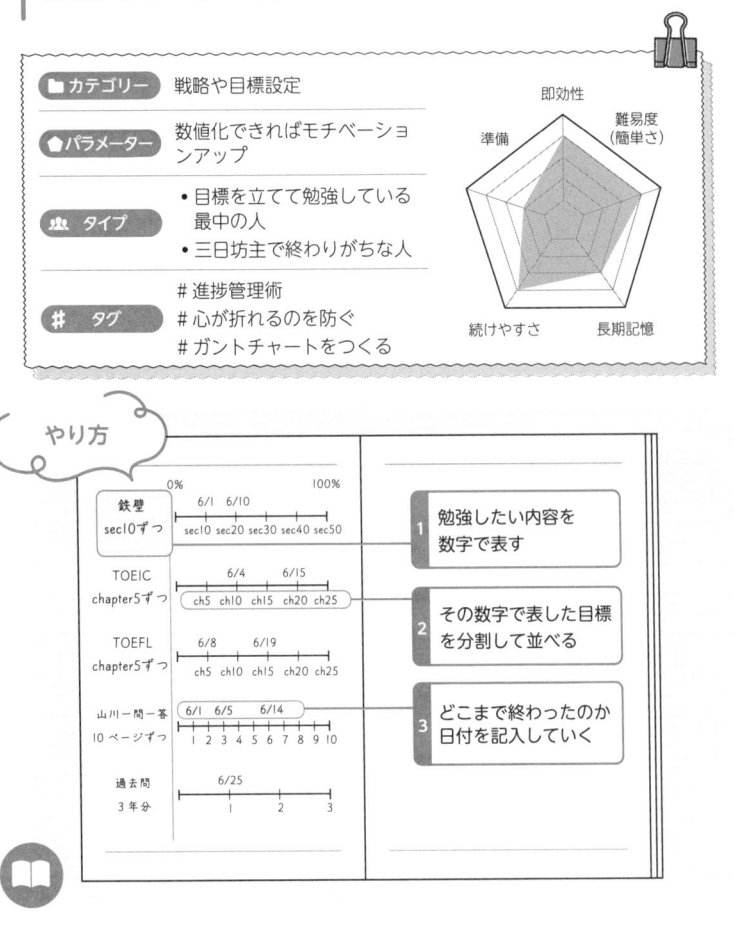

📁 カテゴリー	戦略や目標設定
🔑 パラメーター	数値化できればモチベーションアップ
👥 タイプ	・目標を立てて勉強している最中の人 ・三日坊主で終わりがちな人
# タグ	# 進捗管理術 # 心が折れるのを防ぐ # ガントチャートをつくる

やり方

1 勉強したい内容を数字で表す

2 その数字で表した目標を分割して並べる

3 どこまで終わったのか日付を記入していく

計画をつくり進捗管理をすることには、多くのメリットがあります。まず、ゴールを明確化することができます。

　パーセンテージ勉強法は、**当初の計画からどのくらいのパーセンテージが終わっているかを明確にする**勉強法です。横線を引いて、その横線の左側を0%、右側を100％とし、そのあいだのどこにいま自分がいるかを考えていくものです。

　たとえば、自分のやっている勉強が登山だと考えます。うっそうとした森のなかにいて、あとどれくらいで頂上なのかがわからないままで登山を続けるのは、かなり大変です。でも、自分が何合目あたりにいて、あとどのくらいで頂上に着くのかがわかる標識が見つかると心理的な負担は減るのではないでしょうか。人間は、ゴールに近づいていると思えるとがんばれるのです。そこを利用したのが、パーセンテージ勉強法です。

実際のノート

ガントチャートのように数値化する

　まずノートを用意し、そこに「やりたい勉強」の内容を書き留めます。そして、84ページの図のように横線を引き、左側に0%、右側に100%と書きます。それから勉強を実行していきましょう。

　パーセンテージ勉強法は、**やりたいことを数字で表す**のがポイントです。「この分野を勉強する」では、パーセンテージでは示せません。でも、「この参考書を100ページ」と示せば、30ページ終わらせたら30%終わったことになりますよね。

同時並行で長期的に進めよう

　さらに同じものを、複数個つくります。この勉強法のいいところは、複数のことを同時並行で、しかも長期的に進めていくことができることです。

　複数のことを同時並行で行っていくと、心理的な負担が大きくなってしまうことがありますよね。長い時間がんばっていると、心が折れそうになったり、いま自分がなにをやっているのかがわからなくなったりしてしまうことがあります。

　そういうときにこの勉強法を行うと、「自分は1カ月でここまで進んでいる」「あと数週間でここまでやるんだから、余裕があるな」という感じで、迷わずに努力することができるようになるのです。仕事や勉強がつらくなったときも、このノートを見返すことで、初心に立ち返ることができるのです。

パーセンテージ勉強法で重要なのは、「数値化できないものを数値化する」ことです。たとえば、「覚えられた率」をパーセンテージで示すとします。「この100単語を覚えられた率でやろう！」。でも、人間忘れもしますし、100％完璧にしないと次に進めないということでもないでしょう。なので、「だいたい3周すれば80％くらいは覚えられるだろうから、3周しよう」と判断をして、1周目は33％、2周目は66％、としていくのです。このように、自分の勉強の目標を数値化できるというのがこの方法のメリットです。

おすすめの本

- 『天才の思考回路をコピーする方法』
  整理、記憶、理解、進捗管理などテーマごとにノートのつくり方と実物が豊富に掲載されています。
  片山湧斗（著）、日本能率協会マネジメントセンター

努力分解思考

マトリクスで目標・目的が明確になる

📁 **カテゴリー**	戦略や目標設定
♠ **パラメーター**	難しいが慣れたら効果は抜群
👥 **タイプ**	・結果が出ないと悩む人 ・自分の勉強を分析したい人
# **タグ**	# 目標設定法 # マトリクスで考える # 心が折れるのを防ぐ

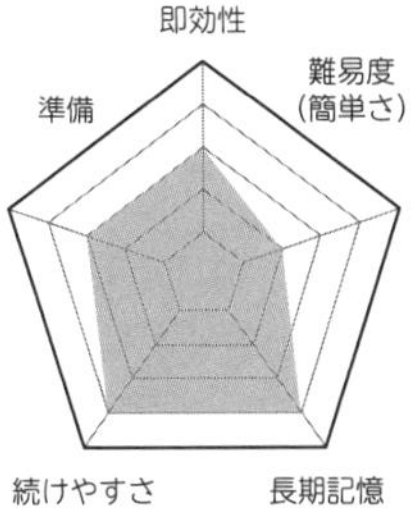

レーダーチャート：即効性、難易度（簡単さ）、長期記憶、続けやすさ、準備

考え方

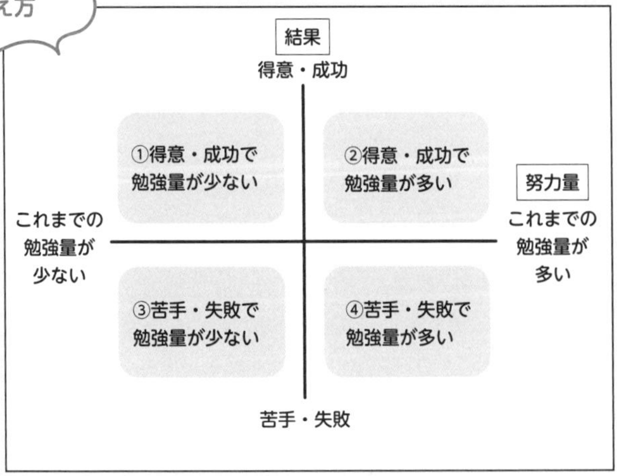

結果
得意・成功

①得意・成功で勉強量が少ない	②得意・成功で勉強量が多い

これまでの勉強量が少ない ─────── 努力量 これまでの勉強量が多い

③苦手・失敗で勉強量が少ない	④苦手・失敗で勉強量が多い

苦手・失敗

努力分解思考は、「がんばっているのにうまくいかない！」を防ぐために、**努力量を可視化して対策を考える方法**です。

　勉強において、「がんばっているのに結果が出ない！」ことって多いですよね。勉強しているのにうまくいかないこともあれば、逆にがんばっていないのに結果が出て、「これって運がいいだけなんじゃないか」と悩むこともあると思います。

　努力量と結果は、必ずしも一致しません。うまくいかないときは、やり方を変えたり方向転換したりする必要がありますが、なかなか自分で自分の努力にメスを入れることは難しいのではないでしょうか。「もっとがんばれば結果が出るんじゃないか」と考え、質より量路線に行ってしまうこともあるでしょう。そんなときに有効なのが、努力量と結果でマトリクスをつくり、可視化することで対策を考える、この努力分解思考です。

① 得意・成功で勉強量が少ない

その得意・成功が運によるものである可能性はないだろうか？

② 得意・成功で勉強量が多い

これまでの学習方法で、苦手に応用できそうなものはあるか？

③ 苦手・失敗で勉強量が少ない

なぜその苦手・失敗がこれまで放置されていたのだろうか？

④ 苦手・失敗で勉強量が多い

勉強法がまちがっている可能性はないだろうか？

努力量と結果でマトリクスをつくる

　方法はシンプルです。**努力量と結果でマトリクスをつくります。**「努力しているのに結果が出ていない」「努力していないのに結果が出ている」「努力していて結果が出ている」「努力しておらずに結果が出ていない」の４つに分解するのです。たとえば「英文法は努力しているけど結果が出ない。英会話は努力していなくて結果が出ていない。英語の読解は努力していて結果が出ている」というように割り振っていくのです。そして、４つそれぞれに対策を変えて考えます。

それぞれで対策を考える

「努力しているのに結果が出ていない」
→努力の仕方がまちがっているはずだから、やり方を変える。
「努力していないのに結果が出ている」
→努力すればもっと結果が出るはずだから、より努力しようと思考してみる。
「努力していなくて結果が出ていない」
→やればきっと結果につながるはずだから、努力できるような仕組みを考えてみる。
　このように、それぞれで対策を考えます。なぜうまくいかないかというと、「やっているようでやっていない」からです。よく考えると努力していないのに、「なんとなくがんばっている気がする」というふわっとした理由で、努力しているかのように錯覚している場合が多いのです。それでは結果が出ないのも当たり前です。重要なの

は、まず分解し、可視化することです。

マトリクスをつくってみると、「これが苦手だ」と漠然と感じていたものでも、「がんばっているのに結果が出ていない」部分と「がんばっていないからあたり前に結果が出ていない」部分に分かれることがわかります。たとえば「英単語はがんばっているのに結果が出ていない」「リスニングはそもそも英語を聞く量が少ないので無理だろう」というようになります。漠然とした苦手意識が、努力分解思考を行うことで「一つひとつ解決していこう」と取り組めるようになっていきます。

おすすめの本

• 『東大式目標達成思考』
ずば抜けた才能がなくても大丈夫だとして、努力のしかたで目標が達成できる方法がまとまっています。
相生昌悟（著）、日本能率協会マネジメントセンター

二重目標

最高目標と最低目標の2つの目標で
モチベーションの維持をはかる

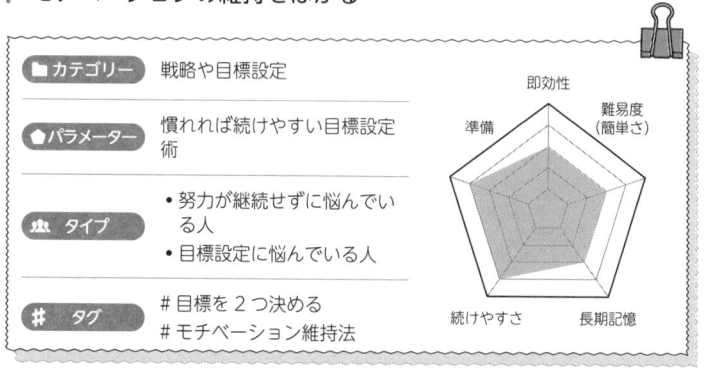

カテゴリー	戦略や目標設定
パラメーター	慣れれば続けやすい目標設定術
タイプ	• 努力が継続せずに悩んでいる人 • 目標設定に悩んでいる人
タグ	# 目標を2つ決める # モチベーション維持法

レーダーチャート項目：即効性、難易度（簡単さ）、長期記憶、続けやすさ、準備

やり方

最高ライン —— 次の試験で 80 点 とる！

60点～80点で
クリア

最低ライン —— 次の試験で 60 点 とる！

二重目標は、「高い目標」と「低い目標」の2つの目標をつくる勉強法です。

最低目標・低い目標…達成可能な、現実的な目標。

最高目標・高い目標…達成不可能かもしれない、理想的な目標。

たとえば、「最低でも10ページ終わらせて、最高20ページやろう！」というような考え方です。

勉強していて、「目標は20ページだったのに、15ページしか進まなかった！」となることってありますよね。たいていの人が、目標どおりに物事が進まないと、「失敗してしまった」「もういいや」という気分になってしまいがちです。二重目標は、そういう状態を改善するものです。目標が2つあり、最低ラインと最高ラインがあるから、そのあいだを攻めればいいわけです。

1 クリアできたらうれしい最高ラインをつくる

2 クリアしたい最低ラインをつくる

3 この「幅」が目標になる

基本的な方法

二重目標は、基本的には勉強のノルマを考えるときに使うものです。たとえば、週のはじめに、「これくらいの勉強をしよう」と考えると思いますが、そのときに活用します。「英語の問題集を 30 ページやろう！」ではなく、「少なくとも 20 ページ、できたら 40 ページ終わればいいな」と考えるわけです。

気をつけなければならないのは、「**最低目標は、達成可能な最低ラインでなければならない**」ということです。最低ラインよりも下回ってはいけません。そうでないと、「最低目標」の意味がないからです。

お腹が痛くなっても、急な予定が入っても、予測不能なことが起こっても、それでも達成可能なものでなければならないというわけですね。

また、無理は禁物なので、最高目標以上にできそうになったら、その分次に回して、いったん休んでいいと思います。「40 ページ以上できそう！」となっても、いったんそこでやめて、「また次に目標を立てるときは 50 ページにしよう」と修正していくわけです。

成績や点数を「目標」にする方法も

勉強の成績ノルマについても応用できます。「次の英語資格の点数は、8 割をめざしたいが、最低でも 6 割は取りたいな……！」というように、点数に関しても 2 つ目標をつくるのです。こうすることで、本試験での取り組み方がうまくなります。もう 1 問問題が残っているのに「あ、もう時間がないな」となったときに、解答を

続けるか見直すかで悩むと思います。このとき、最低ラインが突破できているなら「見直そう」と判断できますね。逆に、最低ラインに到達していないのなら「攻めなければ！」となります。実際、多くの東大生は東大入試のテストで目標を2つ設定しています。参考にしてみてください。

慣れないうちは、最低ラインと最高ラインといえども、なかなかうまく目標を決められない場合があります。最低ラインのはずなのに達成できなかったり、最高ラインのはずがそれより上になったり。でも、何度も目標を立ててその「あいだ」を達成できるように攻めているうちに、そのラインの引き方自体がうまくなっていきます。これは、努力の仕方が上手になったということにほかなりません。

おすすめの本

• 『はじめての目標達成ノート』
自分自身の目標を設定し、それを達成するための戦略のつくり方や、モチベーションを維持するためのヒントが詰まっています。
原田隆史（著）、ディスカヴァー・トゥエンティワン

水平思考

選択肢を考えることで物事を決めやすくする

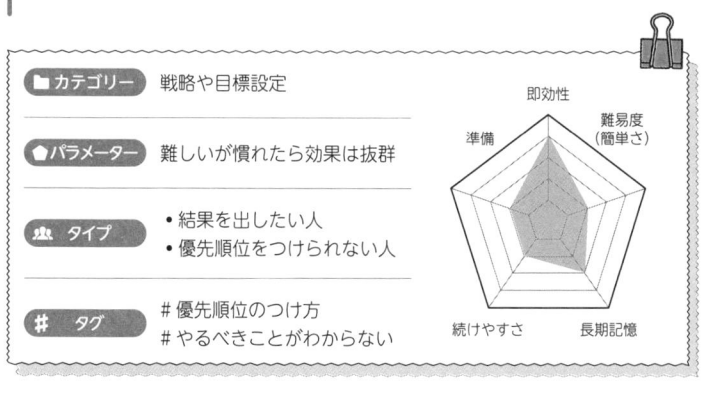

カテゴリー	戦略や目標設定
パラメーター	難しいが慣れたら効果は抜群
タイプ	• 結果を出したい人 • 優先順位をつけられない人
タグ	# 優先順位のつけ方 # やるべきことがわからない

レーダーチャート: 即効性、難易度（簡単さ）、長期記憶、続けやすさ、準備

やり方

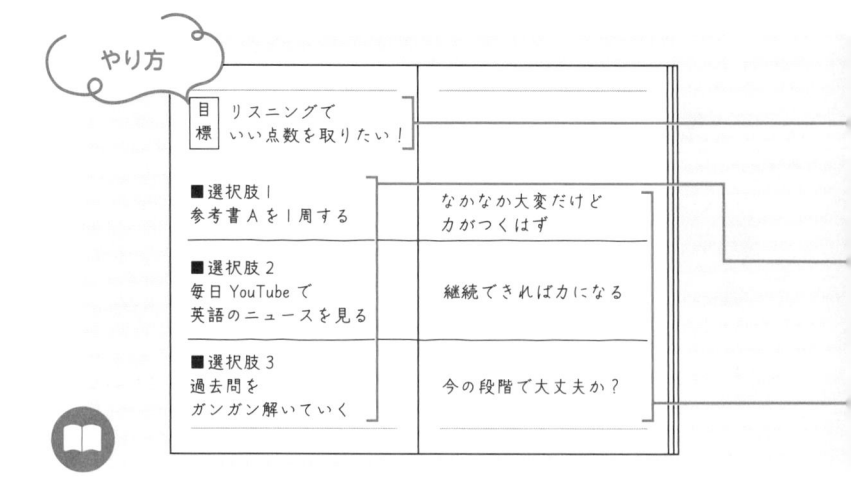

目標	リスニングで いい点数を取りたい！	
■選択肢1 参考書Aを1周する	なかなか大変だけど 力がつくはず	
■選択肢2 毎日YouTubeで 英語のニュースを見る	継続できれば力になる	
■選択肢3 過去問を ガンガン解いていく	今の段階で大丈夫か？	

水平思考は、**自分のやるべきことをすべて列挙して、そのやるべきことに優先順位をつけていく**という思考法です。自分のやるべきことを整理するのはなかなか難しいことで、やるべきことはぼんやりわかっていても、「具体的になにをすればいいのか」と考えると、途端にやるべきことが見えなくなってしまうことがあります。そこで、一度すべてやるべきことを紙に書き出し、そのなかで優先度を「高」「中」「低」の３つに整理しましょう。

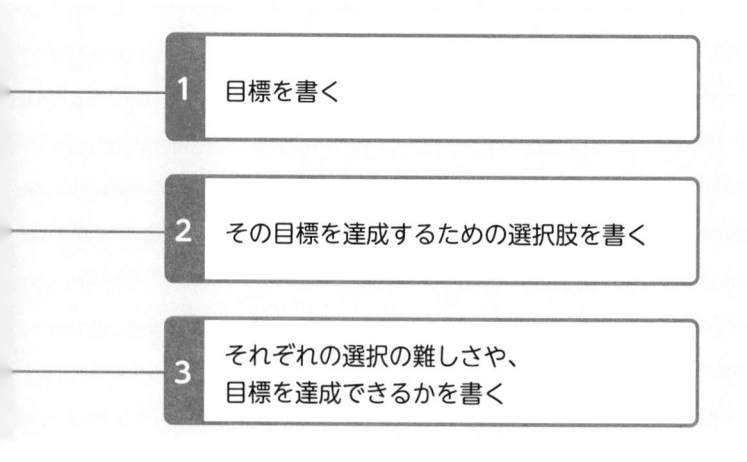

目標を決め、方法をひたすら書き、優先順位をつける

　まず、自分がめざしている目標を決めて、その目標のために必要な勉強を思いつく限り書き出します。「英検合格」なら、「英検の過去問を3回解く」「英検の単語帳を3周」などです。その際、**なるべく具体的に書くことが重要**です。「リスニングの対策をする」ではなく、「リスニングの問題集を1周する」といった具合です。

　そしてそこに、「どれくらいの時間がかかるのか」と、現時点で自分が考える「優先順位」を書きます。「英検の過去問を3回解くのは、5時間くらいかかるけど、絶対やらなければならないことだよな」という感じですね。

　この際の優先順位は、「目標達成のためにどれくらい必要か」で考えましょう。目標達成に直結するものや、自分の苦手なものは優先順位が高いと考えましょう。

全体を整理する

　ここまでを書き出したら、次は「そのすべてを達成すれば、目標達成できるのか？」を考えます。「単語帳1周だけではダメだな、もう3周しよう」「過去問3周じゃなくて、5周したほうがいいかも」と考えるのです。そうやって全体を整理したうえで、1週間でやるべきことを見直してください。基本的には、優先順位の高いものから決めていきましょう。

　分析して、できていないポイント、やらなければならないことを明確にし、それを実現するために具体的なものにしていくわけです。1週間が長ければ翌日でもいいでしょう。とにかくできる限り実行

できるようにやるべきことを整理するイメージで進めましょう。

水平思考を行ってみて、優先順位のほかに、得意か不得意か
で分けてみるのも有効でした。たいていの場合、得意なこと
は早めに終わらせられますが、苦手なことはずるずると先延
ばししてしまいます。だからこそ、優先順位・時間のほかに、
自分が得意か不得意かを基準にするのもおすすめです。

・『東大大全』
東大に合格するための方法を、基礎的な勉強
法から受験生活を乗り切るテクニックまでま
とめたものです。
東大カルペ・ディエム（著）、幻冬舎

ゴール思考

ゴールから逆算して、本当にやるべきものだけを抽出する

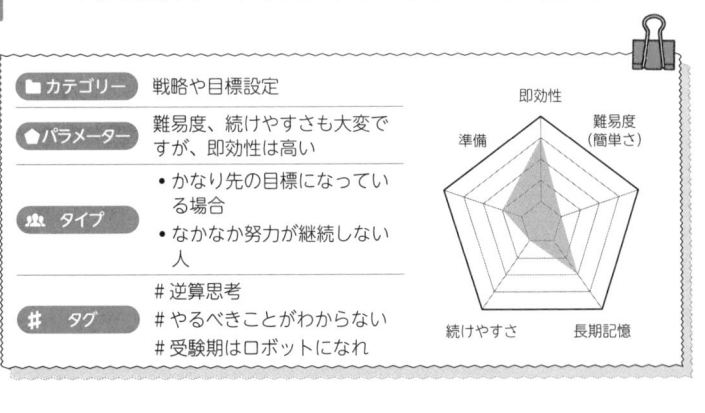

カテゴリー	戦略や目標設定
パラメーター	難易度、続けやすさも大変ですが、即効性は高い
タイプ	・かなり先の目標になっている場合 ・なかなか努力が継続しない人
# タグ	#逆算思考 #やるべきことがわからない #受験期はロボットになれ

やり方

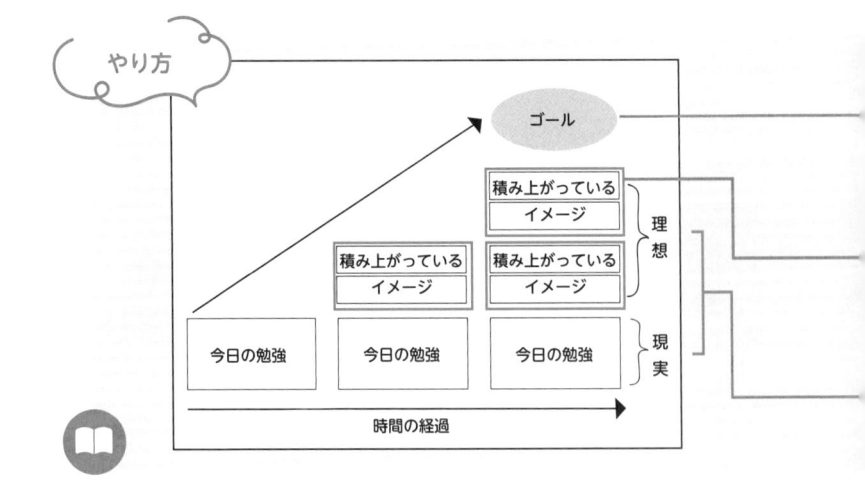

ゴール思考は、**自分がなにをするべきかをあらかじめまとめて****おく**というものです。たとえば、合格をめざした試験の受験日が近づいてきたとします。そのときに、「いまは 11 月で、1 月が試験だ。あと 50〜60 日のあいだに、どんな勉強をするべきだろうか？」と考え、その方法をすべて書き出します。それをノートにまとめて、自分がこれから受験当日までに終わらせるべき勉強をすべて書いていくのです。

　こうすることで、「この勉強を終わらせられれば合格できるリスト」をつくることができます。いわば、これを終わらせられれば合格、これが終わらせられなければ不合格、という締め切りの決まった宿題のようにするわけです。

1	ゴールをしっかりと見ておく （設定しておく）

2	なにができていないのか、考えていく

3	ギャップを意識する

ゴールから逆算する＝もう、迷わない

ゴール思考法は、「あと50〜60日のあいだにここに書き出した勉強をすべて終わらせられれば合格できるし、終わらせられなければ不合格になる」というものを明確にリスト化するものです。

「英語は、リーディングで90点を取るために、『過去問を3年分解く』『Aの問題集を終わらせる』『今までのノートの復習』の3つを終わらせよう！　そうすれば90点取れるはずだ！」と、明確なゴールを決めるわけです。

これを実践するとなにがいいかというと、「迷わなくなる」のです。先ほどもお話ししましたが、ここでつくったリストは、「この勉強を終わらせられれば合格できるリスト」として機能します。

受験期はロボットになれ

とくに試験本番が近づいてくると、不安や緊張からなにも手につかなくなってしまうことがあります。また、なにかしようと思っても、「なにをすればいいかわからない」という状態になってしまう人も多いのです。そうならないためには、とにかく**勉強する内容を具体的にして、ロボットのようにそれをこなしていく**必要があります。

「受験期はロボットになれ」というのは、東大受験生のあいだでよく使われる言い回しです。不安や緊張を押し殺して、感情のないロボットのように淡々とやるべきことをこなしていく必要がある、というわけです。そして、この「ロボットのようにこなしていく」ために必要なのが、「これをやれば受かるリスト」なのです。

実際にリスト化してみると、あとから「この勉強もやるべきではないか」「これも終わらせないといけないんじゃないか」というものが出てきます。でも、あとから追加していってしまうと、結局なにも終わらないままで試験本番を迎えることになってしまいます。だからこそ、「あとからはあまり追加できない」という意識で、なにをやるべきかを整理しましょう。もちろん、この方法は資格試験でも有効です。

また、「どんなことを終わらせればいいんだろう？」と思ったら、一度過去問を解くことをおすすめします。180ページの過去問先勉強法を実践してみると、足りないものがわかり、このリストもつくりやすくなるでしょう。

- 『なぜか結果を出す人が勉強以前にやっていること』
  勉強を始める「以前」に、自分にあった勉強法を「準備」することで、「自分にあった努力」が続けられて、苦労せずとも結果が出るのです。
  チームドラゴン桜（著）、東洋経済新報社

習慣化思考

やる気がなくても OK！ 「自動モード」をつくり出そう

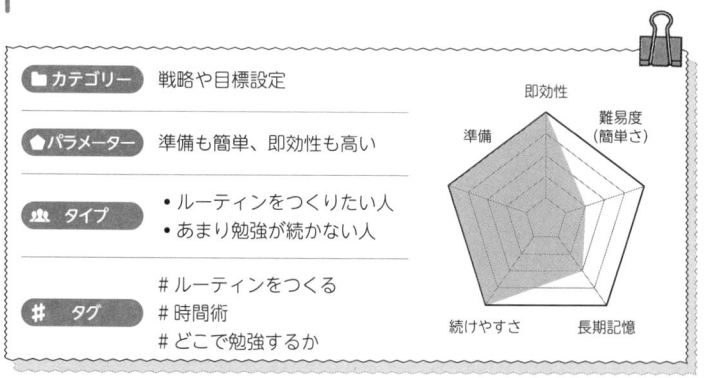

📁 カテゴリー	戦略や目標設定
🏠 パラメーター	準備も簡単、即効性も高い
👥 タイプ	・ルーティンをつくりたい人 ・あまり勉強が続かない人
# タグ	# ルーティンをつくる # 時間術 # どこで勉強するか

（レーダーチャート：即効性／難易度（簡単さ）／長期記憶／続けやすさ／準備）

場所で考える場合

勉強できる
ルーティンのある場所
・リビング
・図書館
・周りが勉強している人が
　多い場所

勉強できる
ルーティンのない場所
・自室・普段休憩している
　ところ
・周りが遊んでばかりいる
　ところ　　　　　　など

習慣化思考は、「ルーティン」をつくるものです。たとえば、お風呂場に行って「まずはなにをしようか？」といちいち考えて体を洗う人はいないと思います。湯船にお湯を張り、シャンプーやリンスを使い、湯船に浸かって……と、お風呂場での行動はたくさんありますが、それらはほとんど意識することなく、自然に行われます。それは、何度も行動をして体に染みついているからです。**ほとんど無意識的に行動が習慣化されている**のです。これこそが、ルーティンです。このルーティンを意図的につくり出すことで、勉強するのも苦ではない状態になるというのが習慣化思考です。習慣化思考では、時間と場所の２つでルーティンをつくります。

1	自分にとってどういう場所が 勉強できるのかを考える
2	難しければ、 いままで行ったことのない場所を探す
3	一度やってみて、集中できるかどうかを 考えてみるのも重要

時間でルーティンをつくる

まず時間のルーティン化ですが、「勉強を始める時間」をあらかじめ決めておき、その時間になったら必ず机の前に座るということをします。

人間、やりたくないことは後回しにしがちです。嫌いな科目、苦手な勉強など、なかなか集中できないものが多いです。それを後回しにしないようにするために、時間を決めてルーティン化していくのです。たとえば、夜8時になったら、どんなにやりたくなくても必ず机に向かって勉強するようにする。可能なら**タイマーを設定して、タイマーが鳴ったら絶対に勉強するように決めておく**のです。学校のチャイムと同じで、音が鳴ると気分を切り替えられるというのは人間の特性としてよくある話です。

場所でルーティンをつくる

場所のルーティン化も同様で、「**勉強する場所をつくり出し、そこに行けば自然と勉強できる状態にする**」というものです。

まずは、**「休む場所」と「勉強する場所」を切り離す**のです。部屋には「休む場所」というイメージがあり、休むルーティンができてしまっています。長年培ってきたそのルーティンを壊すのは時間がかかります。

そんなときは、「休む場所」以外の場所を「勉強する場所」にするのです。たとえば、リビングや廊下。家の外であればカフェやファミレス、自習スペースなどです。まだルーティンのない場所で習慣をつくってしまうのです。

やってみた！

「立って勉強する」というのもおすすめの方法です。椅子に座ったり、ベッドに横になるのは、それこそ休むルーティンができてしまっている場合が多いのです。でも、立ってなにかをするというのは、そのルーティンがないという人が多い。だからこそ、「立って勉強する」というのを新たに習慣化してしまうことができるわけです。東大生でも立ちながら本を読んだり論文を書いたりしている人もいます。

おすすめの本

• 『東大メンタル 「ドラゴン桜」に学ぶ　やりたくないことでも結果を出す技術』
「主体性」を持ち、「メタ認知力」を発揮し、「セルフコントロール」を働かせながら、「戦略性」を持つ、4つの非認知能力で地頭を鍛えましょう。
西岡壱誠、中山芳一（著）、日経BP

No. 21

SMART思考

具体、測定可能、達成可能、つながり、締め切りで整理する
目標明確化

■ カテゴリー	戦略や目標設定
★ パラメーター	準備は大変だが即効性が高い
♨ タイプ	• 計画倒れになりがちな人 • 効率が悪いと感じている人
# タグ	# 目標は明確に # 目標設定法

（レーダーチャート：即効性、難易度（簡単さ）、長期記憶、続けやすさ、準備）

ポイント

S	具体的に！	英単語帳ターゲットをやろう
M	測定可能に！	英単語帳ターゲットを3周しよう
A	達成可能に！	英単語帳ターゲットを1周して、覚えていないところをピックアップしてもう2周しよう
R	つながっている目標に！	英単語帳ターゲットで、この前のテストの英文で解けなかったところを整理して1周しよう
T	締め切りを設定しよう！	1週間で英単語帳ターゲットを1週。もう1週間で覚えていないところをピックアップしてもう2周しよう

SMART 思考とは、目標を立てるときに、5つの観点から見ることによって目標が明確になる、というものです。

その5つとは、「Specific（具体）」「Measurable（測定可能）」「Achievable（達成可能）」「Related（つながり）」「Time-bound（締め切り）」です。この5つの目標を整理することで、勉強がより実践的で効果の出るものになり、普段の勉強の効率が一気に上がるような目標設定ができるようになります。

1	実行しやすいように、具体的にしよう
2	数字が入っている目標にしたり、実行しやすいように分解しよう
3	実現可能なものにしよう
4	いままでの努力とつながるように書こう
5	締め切りを設定しよう

SMART思考の5つの観点

5つの観点を具体例に沿って整理すると、次のようになります。

Specific（具体）

もっと具体的に計画を書くとどうなるか？

「ベクトルを勉強する」→「ベクトルについて、この参考書を実践する」

Measurable（測定可能）

あとから振り返って「達成できた」といえるようになるにはどうすればいいか？

「ベクトルについて、この参考書を実践する」→「ベクトルについて、この参考書を40ページ終わらせる」

Achievable（達成可能）

がんばれば達成できる、無理のない目標にするにはどうすればいいか？

「ベクトルについて、この参考書を40ページ終わらせる」→「40ページ終わらせるのは少し難しいので、とりあえず20ページ進める」

Related（つながっている目標）

次のチャレンジにつながったり、いままでの挑戦とつながっている目標にするにはどうすればいいか？

「ベクトルについて、この参考書をとりあえず20ページ進める」→「20ページのなかの15ページ目は、この前のテストで解けなかった分野なので、時間をかけて復習する」

Time-bound（締め切りの設定）

締め切りを明確な目標にするにはどうすればいいか？

「ベクトルについて、この参考書をとりあえず20ページ進める」
→「ベクトルについて、この参考書の20ページを3日以内に進める」

　という感じです。漠然とした目標では、いずれ目標を立てたことすら忘れてしまいます。立てた目標を、具体的で、測定可能で、達成可能で、次のチャレンジにもつながる締め切りまで設定された目標にすることで、確実にクリアできるようにするのです。

やってみた！

Relatedのところに、次の目標もセットで書いておくようにしましょう。「今回の試験では40点だけど、次は50点！」など、しっかりとステップアップを意識した目標を設定するようにするといいでしょう。

おすすめの本

- 『思考法図鑑 ひらめきを生む問題解決・アイデア発想のアプローチ60』
  アイデアが浮かばない、考えをうまく伝えられないなどの悩みに対処できる思考メソッド集です。
  アンド（著）、翔泳社

効率化のための工夫

東大生のすごいところは、自分がなにをすべきかをわかったうえで、効率的に学習を進めることです。
ここでは、効率化や時間術などを紹介します。

---

p.114

高速回転数勉強法

まず1周してから勉強する方法

#とにかく回転数が大事

#全体像をつかむ

#動画講座も活用

---

p.118

さかさ勉強法

ゴールを理解して最短距離でたどり着く勉強法

#先に結末を見る

#逆算力

---

p.122

ちょっと残し勉強法

あえてキリを悪くすることで「もっとやりたい」を刺激する

#モチベーション維持法

#あえてキリを悪くする

#採点は翌日のお楽しみ

---

p.126

「3、2、1」思考法

なにかを始めるときに「3、2、1」と口に出し、「0」のタイミングでスタート

#カウントダウン

#やる気アップ法

#やりたくないときに

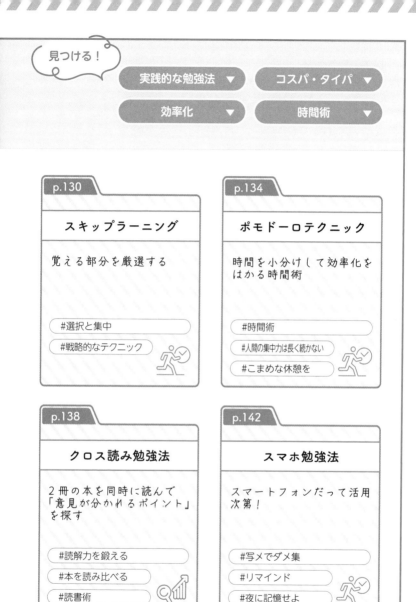

見つける！

実践的な勉強法 ▼　　コスパ・タイパ ▼

効率化 ▼　　時間術 ▼

p.130

スキップラーニング

覚える部分を厳選する

#選択と集中

#戦略的なテクニック

p.134

ポモドーロテクニック

時間を小分けして効率化を
はかる時間術

#時間術

#人間の集中力は長く続かない

#こまめな休憩を

p.138

クロス読み勉強法

2冊の本を同時に読んで
「意見が分かれるポイント」
を探す

#読解力を鍛える

#本を読み比べる

#読書術

p.142

スマホ勉強法

スマートフォンだって活用
次第！

#写メでダメ集

#リマインド

#夜に記憶せよ

高速回転数勉強法

まず1周してから勉強する方法

📁 **カテゴリー**	効率化のための工夫
🔶 **パラメーター**	効果を実感しやすい勉強法です
👥 **タイプ**	• 結果をとにかく早く出したい人 • 膨大な知識を得たい人
# **タグ**	# とにかく回転数が大事 # 全体像をつかむ # 動画講座も活用

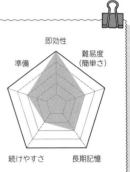

即効性 / 難易度（簡単さ）/ 長期記憶 / 続けやすさ / 準備

やり方

STEP1
1回目は大雑把な理解を
するためだけに読む

STEP2
2回目は1回目を踏まえて、
気になったポイントを
ていねいに読んでいく

STEP3
3回目以降は、
今まで読んでいなかった
ポイントに焦点をあてて読む

高速回転数勉強法は、なにかの知識を得たいときや一つの分野を理解したいと思ったときに、先に1周してから勉強を始めるもので「1周勉強法」ともよびます。たとえば、歴史の勉強をしたいというときは歴史の参考書を一度ざっくりでいいので読み切ってしまう。「この本を読んで勉強したい」というものがある場合は、その本の最初と最後だけを読んで、「なるほど、こういうことがいいたいのか」ということを理解してから勉強するのです。つまり、**ざっくりと予習をして全体像をつかんでから勉強をスタートする**のです。もちろん1周では理解しきれないでしょうから、何周もする、その回転数を増やすのです。

1	あとで読み返せばいいと思って、大雑把でいいので流れをつかむ
2	気になっているところとか、興味のあるところ・重要なポイントを読む
3	3回目以降で網羅的に読んでいく

まずは広く浅く1周する

「ざっくりと1周することに意味なんてないんじゃないのか」と思う人もいるでしょう。実際、予習と復習とを比べると、圧倒的に復習の質が重要になります。しかし、「最初の1周」で本格的に勉強をするのではなく、通常の学習を「復習」として実践するかどうかで、勉強の質は大きく左右されるのです。

つまり、一度大雑把にでも予習しておけば、あとはすべての事柄が復習になり、結果的に復習の時間が増えるのです。復習に時間をかけられる人というのは、逆にいえば予習をがんばった人だといえるのです。

だからこそこの1周目の勉強というのは、**なるべく、広く浅くやるのです**。あとから復習することが前提ですから、深く覚えようとする必要なんてありません。むしろ逆に、「忘れてもいいや」くらいの精神で浅く予習していくことが肝要なのです。

全体をざっくりつかんでから何度も復習する

おすすめなのは、全体をざっと流し読みすることです。

すべての物事は全体のなかの一部でしかありません。たとえば、世界史のなかでフランス革命はその前の時代のなにかに影響されていて、その後の世界に影響を与えました。日本史のなかで元寇によって発生したこともあれば、元寇の原因になったこともある。そのように、流れのなかに出来事があるという構造はどの科目でもいえることなのです。

だからこそ大切なのは、流し読みをして、「全体を大雑把につか

む」ということです。そして、何度も復習する。1周をじっくり学習するのではなく何周もする、つまり、回転数を増やすことが重要なのです。

高速回転を実際にやっていた東大生の数はかなり多く、たとえば、「日本史の勉強の際にスタディサプリの講座を2倍速で聞いていた」「大雑把に流れを教えてくれるような、『十時間でざっくりわかる！』というシリーズで勉強していた」という人はとても多いです。また、本を読むときにも最初と最後を読んで、結局なにがいいたいのかを理解してから読むという人もいました。次の「さかさ勉強法」にもつながりますがミステリー小説で犯人を知った状態で読み、犯人の動向を追っていくようなものですね。全部を読む必要はないので、重要なポイントだけを追うのもおすすめです。

・『東大首席弁護士が教える超速「7回読み」勉強法』
記憶は才能ではなく反復と継続によって定着するとして、だれでもできる「本を7回読む」方法を中心にした勉強のコツが詰まっています。
山口真由（著）、PHP研究所

No. 23

さかさ勉強法

ゴールを理解して最短距離でたどり着く勉強法

- **カテゴリー** 効率化のための工夫
- **パラメーター** 難易度は高いが即効性と記憶定着に効果的
- **タイプ**
  - 早く結果を出したい人
  - 長い本を読むのが苦手な人
  - 歴史の勉強が苦手な人
- **タグ** # 先に結末を見る # 逆算力

やり方

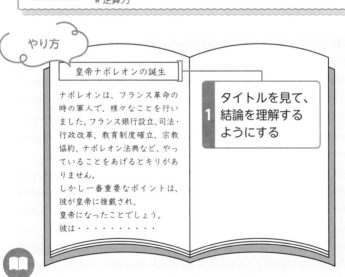

皇帝ナポレオンの誕生

ナポレオンは、フランス革命の時の軍人で、様々なことを行いました。フランス銀行設立、司法・行政改革、教育制度確立、宗教協約、ナポレオン法典など、やっていることをあげるとキリがありません。
しかし一番重要なポイントは、彼が皇帝に推戴され、皇帝になったことでしょう。
彼は・・・・・・・・・・

1 タイトルを見て、結論を理解するようにする

さかさ勉強法は、**本や参考書を結末から読んだり、答えを見て
から問題を解いたりする**勉強法です。結末を知って、そこから
「なぜそうなるのか」を考えていくわけです。

　たとえば、「戦国武将の1人に織田信長という人物がいました」
という情報があったとして、彼がそれから天下統一に大きく近づ
くことを知らなければ、「戦国武将の1人の名前」でスルーして
しまいますよね。「織田信長が天下統一に大きく近づく」と知っ
たうえで文章を読んでいくと、「なぜ織田信長は天下に手を伸ば
すことができたのか」という目線で情報を整理することができま
す。結末を先に知ることで、なぜそうなったのかという目線で読
むことができるようになるのです。

　さかさ勉強法は、読み進める楽しさは半減するかもしれません
が、無駄のない情報収集ができるようになるのです。

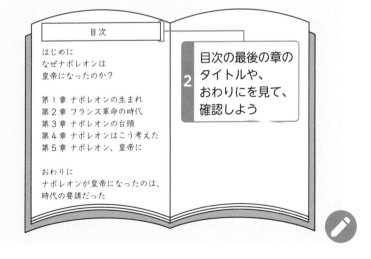

国語や英語の場合

　歴史の参考書だけではなく、国語や英語の文章を読むときも、テキストや参考書で勉強するときにもこの方法は使えます。国語や英語の文章は、「どんな結論にもっていくためにその話をしているのか」を理解してから読んだほうが読みやすくなります。最後の一文が「人工甘味料はなくてはならないものだ」と締めくくられている文章があったとして、「あなたが食べている食品の甘さはどこからきていると思いますか？」という投げ掛けから文章が始まっていたら、「答えはきっと人工甘味料なんだろうな」と思って読むことができますよね。同様に、テキストや参考書を読む際にも前もってポイントになる部分を知っていると、そこに注目して読むことができます。最後の文章から、「ここにはきっとこういうことが書いてあるはずだ」ということを類推するのです。最初のうちは難しいかもしれませんが、10回以上行うと、だいたいできるようになっていくはずです。

　犯人がわかったうえでミステリー小説を読むと、犯人の動向を自然と追いながら文を読むことができ、読むスピードが上がると思います。それと同じで、結論を知ってから読むことは有効なのです。

歴史など流れがある科目の場合

　歴史など流れがある科目は、一度最初から最後まで読み、二度目に読むときに逆から読んでいくというやり方をしてみると、最初読んだときとまたちがう発見ができて、文章が理解しやすくなります。このように、読み方を変える意味でも、さかさ勉強法は有効です。

やってみた！

実際に何度も実践していくうちに、「さかさ」で考えること
自体が習慣化してきます。たとえば、普通に文章を読んでい
ても「これ、結論はどうなっているんだろう？」ということ
が気になって、その結論を見てから話を読んでいくようにな
ります。そうすると、一気に文章を読んだり本質をつかんだ
りするスピードが速くなるのです。その領域までいけるよう
に、いろいろなタイミングでこの勉強法を実践してみるとよ
いでしょう。

おすすめの本

• 『速読日本一が教える すごい読書術』
  速く読んで、自身に必要な情報を取り出す本
  の読み方が紹介されています。
  角田和将（著）、ダイヤモンド社

ちょっと残し勉強法

あえてキリを悪くすることで「もっとやりたい」を刺激する

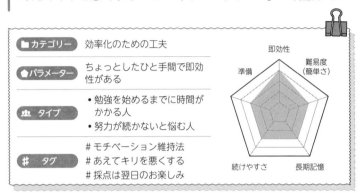

カテゴリー	効率化のための工夫
パラメーター	ちょっとしたひと手間で即効性がある
タイプ	・勉強を始めるまでに時間がかかる人 ・努力が続かないと悩む人
タグ	# モチベーション維持法 # あえてキリを悪くする # 採点は翌日のお楽しみ

やり方

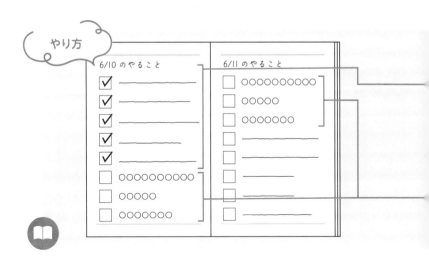

ちょっと残し勉強法は、すべての勉強を**「キリの悪いところ」で切り上げる**というものです。その日の勉強をちょっとだけ残しておき、次の日にはその「ちょっと残し」からスタートするのです。あと１ページで終わるところを残しておいたり、あとは丸つけをすれば終わりという状態で、あえてその日の勉強は切り上げて、次の日は「とりあえずこれだけやってしまおう」と前日に残したところから始めるわけです。

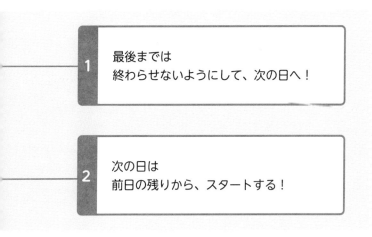

1 最後までは
終わらせないようにして、次の日へ！

2 次の日は
前日の残りから、スタートする！

積み残しはモチベーションになる

みなさんも経験があると思うのですが、**勉強はやり始めさえすれば意外と進められます**。集中力が途切れてくる以外に、「やりたくないからやめよう」ということってあまりないですよね。大変なのは、最初に「やろう」と思って机の前に座る、そこまでです。どんなに大きいボールでも、転がり始めれば勢いがついていきます。でも転がり始めるためのその一押しがいちばん大変なのです。

だからこそ、キリの悪い状態で残しておくのです。その日の勉強を少しだけ残しておくことで、次の日には、「面倒だけど、あとちょっとで終わるんだよな」という状態でスタートすることができます。逆にキリがよすぎると、「これだけは終わらせよう」という部分がないので、次の勉強を始めるときに体力を使うことになるのです。

丸つけだけ残すこともおすすめ

おすすめなのは、「**問題を解いたうえで、丸つけを残すこと**」です。問題を解いて、それが正解だったのかまちがっていたのか、という丸つけをしない状態で残しておくのです。そうすると、「勉強のやる気は出ないけれど、前日解いたあの問題が正解だったかどうかだけは気になるな」という状態になります。そして丸つけをして、正解だったらやる気が出て「やるぞ！」となるかもしれませんし、まちがっていたら「どうしてまちがえたんだろう？」と気になります。気になるポイントをあえて残しておくことで、次の勉強にいかせるというわけですね。

やってみた！

実践してみてわかったのは、勉強時間をしっかりと区切るのと、この方法は相性がいいということです。あらかじめ時間を決めておき、「14時まで勉強する予定だったから、いったんここで終わろう」というように、時間で区切ってしまうのです。

多くの人は、「14時までのつもりだったけど、あと5分やればキリがいいからここまでやろう」となると思いますが、そうはせず、きっちり時間で区切ってしまうことで、オンとオフの境目がはっきりして、効率よくなるのです。

おすすめの本

- 『なぜか結果を出す人が勉強以前にやっていること』
ちょっとしたことでやる気が出るようなコツを紹介しています。
チームドラゴン桜（著）、東洋経済新報社

🔍📈 「3、2、1」思考法

なにかを始めるときに「3、2、1」と口に出し、
「0」のタイミングでスタート

📁 カテゴリー	効率化のための工夫
🏠 パラメーター	即効性も継続性も高い
👥 タイプ	・勉強を始めるまでに時間がかかる人 ・だらだらしてしまいがちな人
# タグ	# カウントダウン # やる気アップ法 # やりたくないときに

レーダーチャート軸：即効性、難易度（簡単さ）、長期記憶、続けやすさ、準備

やり方

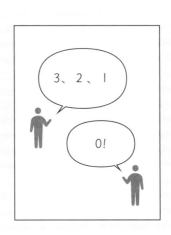

3、2、1

0!

「3、2、1」思考法は、勉強を始めるときや仕事をするとき、**「3、2、1」と口に出し、「0」のタイミングで実際にそれに着手する**というものです。

たとえば、みなさんがやる気が出なくてベッドでだらだらしているとします。そのときに、「3、2、1」といって、「0」で体を起こします。だらだらするのを、「3、2、1」で防止するのです。時間制限がないと、多くの人間はだらけてしまいます。「ちょっとスマホを見よう」「ちょっとだけ寝よう」と考えたときの、その「ちょっと」が、だらだらと1時間になってしまうのです。ですから、「3、2、1」で時間制限をつくり、カウントダウンをすることで、自分をうまくコントロールして、行動までの助走をつけるのです。

3、2、1 がうまくいかないときは

1	もっと分解して、「ペンを筆箱から取り出す」「ペンを持つ」など、もっともっと細かく分解しよう！！
2	「5と4」も付け足して「5、4、3、2、1」としてみる。ペースを緩めたらできるようになるかも！
3	一度深呼吸をして、精神を落ち着かせる。飲み物を飲んだりしてもOK！

「3、2、1」思考法の具体的な方法

まず、頭のなかで行動を分解します。ベッドから出て勉強をするのであれば、「布団をめくる」「体を起こす」「ベッドから降りる」「着替える」「机の前に座る」「ペンを持つ」という一連の行動に分解できますよね。そして、その一つひとつの動作の前に、「3、2、1」と口に出し、「0」のタイミングで行動に移します。「3、2、1、0」で布団をめくり、「3、2、1、0」で体を起こし、「3、2、1、0」でベッドから降ります。こうして、やる気が出ないときでもやる気が出るようにするのが、「3、2、1」思考法です。

行動のすべり台をつくるイメージです。実際に行動する前にカウントダウンをすることで、すべり台をすべり下りるように、スムーズに行動に移せるようになるというわけですね。

行動を分解することに意味がある

行動を分解することにも意味があります。行動に移せないのは、「なにから手につけていいかわからない」からです。「夏休みの宿題をやる」といっても、具体的な行動のイメージがつかめないからなにもできないのです。

つまり、「1. ノートを用意する」「2. 最初のページにこういうことを書き出す」「3. 次にこういうことを調べる」と、やるべきことを分解します。そして、1から順番にやっていくのです。「本を読む」という簡単なことでも、「席に座る」「本を持つ」「あいている手でページをめくる」と、細かく行動や動作を分解するのです。

自分の体をボタン操作で動かすようなイメージです。こうして行

動を分解できれば、やることが明確になり、ゲームのように一つひとつクリアしていく感覚で取り組むことができるのです。

やってみた！

勉強以外のやりたくないことや、ちょっとやる気が出ないことでも「3、2、1」思考法を行うと、行動に移すまでのスピードが上がります。ちょっとしたことでもいかしてみるようにしましょう。また、それでもやる気が出ないときは「5と4」を付け足して「5、4、3、2、1」としてみてもいいと思います。

おすすめの本

• 『東大モチベーション』
「なかなか勉強が続かない」が「100％続く」に変わるためのテクニックが満載です。
西岡壱誠（著）、かんき出版

No. 26

スキップラーニング

覚える部分を厳選する

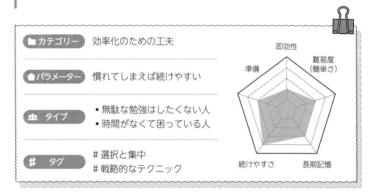

カテゴリー	効率化のための工夫
パラメーター	慣れてしまえば続けやすい
タイプ	• 無駄な勉強はしたくない人 • 時間がなくて困っている人
タグ	# 選択と集中 # 戦略的なテクニック

レーダーチャート: 即効性、難易度（簡単さ）、長期記憶、続けやすさ、準備

やり方

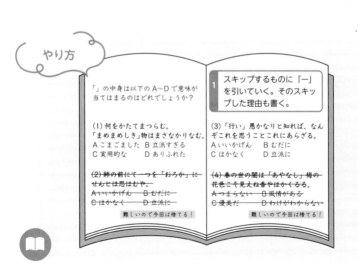

1 スキップするものに「ー」を引いていく。そのスキップした理由も書く。

「」の中身は以下の A～D で意味が当てはまるのはどれでしょうか？

(1) 何をかたてまつらむ。
「まめまめしき」物はまさなかりなむ。
A こまごました　B 立派すぎる
C 実用的な　　　D ありふれた

(2) 師の前にて一つを「おろか」にせんとは思はむや。
A いいかげん　B むだに
C はかなく　　D 立派に
難しいので今回は捨てる！

(3) 「行い」愚かなりと知れば、なんぞこれを思うことこれにあらざる。
A いいかげん　B むだに
C はかなく　　D 立派に

(4) 春の世の闇は「あやなし」梅の花色こそ見えね香やはかくるる。
A つまらない　B 風情がある
C 優美だ　　　D わけがわからない
難しいので今回は捨てる！

みなさんはスキップをしたことがありますか。片足ずつ軽く跳びはねながら進む以外にも、なにかを飛び越す、省略することを「スキップ」といいます。

　スキップラーニングは、学習内容をスキップする、つまり一部省略することを指します。たしかに、テキストや参考書の内容はすべて覚えるべきです。しかし、それを大事にするあまり、すべての勉強が中途半端になってしまい、目標とする試験に落ちてしまっては元も子もありません。

　より重要な、頻出の論点は手厚く、あまり出題されない論点は簡素に行うべきです。スキップラーニングは、この取捨選択を行うプロセスにこそツボがあります。

スキップする基準

・解くのに時間が
　かかってしまう問題

・問題としてあまり
　出題されない可能性が
　高い分野

・難易度が高く、
　その対策から始めるのは
　得策ではない単元

まずは出題傾向を確かめる

スキップラーニングは、あくまで「重要度の低そうな単元」をスキップする勉強法です。「やりたくない単元をスキップする勉強法」ではありません。

ですから、この勉強法を行う前に、まず試験で出題される問題の傾向を確認する必要があります。たとえば、過去 15 年から 20 年分の過去問をチェックして、それぞれの出題された分野を確認します。

そうすると、「過去問の傾向によると、微分と積分の単元は毎年出ているが、空間図形はあまり出ていない」など、傾向が見えてくるでしょう。そこで、「微分や積分については確実に学習しておかなくてはいけないが、空間図形の学習深度は浅くても、なんとかなりそうだ」と予想することができます。試験によっては出題論点がまとまったテキストが手に入ることもあるでしょうが、自分で確かめることが必要です。

「選択と集中」

ここまで予想ができたら、スキップできそうな項目については学習をやめ、空いた時間をすべて頻出事項の学習にあてます。先ほどの例では、空間図形の学習の時間を微分積分の学習にあてます。

くり返しますが、あくまで戦略上有効な手段として、費用対効果が薄そうな項目の学習をスキップします。決して「難しいからやりたくない」といった理由で、学習をあきらめてはいけません。

「選択と集中」という考え方があります。限られた資源を有効に

使うために、対象先を絞るのです。スキップラーニングはこの考え方によっています。

実際に、ある東大生は大学受験にあたって、期待できる得点が低い分野はまったく学習しなかったといいます。たとえば、数学ならば「空間図形」や「データの分析」は長年出題されていませんので、これらの分野は学習しない。英語ならば、大意さえつかめば問題ないので、イディオムや文法の勉強もやっていません。その代わりに、よく出題される英語長文や数学の微分積分などを手厚くしたそうです。試験勉強は時間の使い方が肝です。どこにどれだけ時間をつぎ込むか、つねに考えましょう。

おすすめの本

• 『東大式時間術』
「無駄を省く」「効率を上げる」「やる気を出す」という3種類の努力のコツがわかります。
布施川天馬（著）、扶桑社

No. 27

ポモドーロテクニック

時間を小分けして効率化をはかる時間術

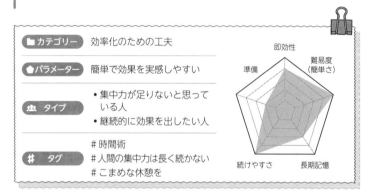

カテゴリー	効率化のための工夫
パラメーター	簡単で効果を実感しやすい
タイプ	・集中力が足りないと思っている人 ・継続的に効果を出したい人
タグ	#時間術 #人間の集中力は長く続かない #こまめな休憩を

レーダーチャート:即効性／難易度（簡単さ）／長期記憶／続けやすさ／準備

やり方

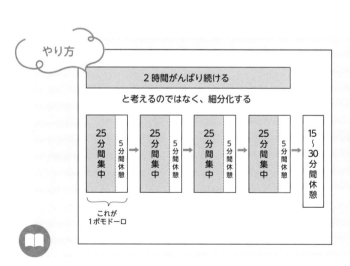

2時間がんばり続ける

と考えるのではなく、細分化する

25分間集中 → 5分間休憩 → 25分間集中 → 5分間休憩 → 25分間集中 → 5分間休憩 → 25分間集中 → 5分間休憩 → 15〜30分間休憩

これが1ポモドーロ

ポモドーロテクニックは、イタリアで生まれた時間の使い方の
テクニックです。ポモドーロはイタリア語でトマトのこと。この
時間術の考案者が、トマトの形をしたタイマーを使っていたこと
から、ポモドーロテクニックとよばれるようになりました。この
方法では、実際に作業をする時間を 25 分間と定めて、その時間
が終わったら 5 分間の小休憩をとります。何度かそのセットをく
り返したら、30 分の休憩をとります。作業を長い時間で考える
のではなく、**短い時間に区切り、小休憩をはさむことで、それぞ
れの作業に集中する**ことができます。勉強するぞと意気込んでも、
時間だけ使ってしまい、結局なにも手につかなかったという方に
おすすめです。

基本的な方法

たとえば、2時間の時間があった場合、25分と5分で30分のセットが4つあると考えます。そして、**25分間作業に取り組み、それが終わったら5分間の小休憩をとる**のです。

なぜ作業時間を25分間に絞るのか？　それは、**人間の集中力が持続する時間は思っている以上に短い**からです。一度「やるぞ！」と意気込んだものの、30分もしないうちに撃沈してしまう。みなさんも経験があるのではないでしょうか。作業を短時間に絞って集中する。それにより効率化を狙います。

また、作業を細分化する狙いもあります。「2時間でこの仕事を終わらせて」といわれたときに、そうではなく「25分の作業時間を4つ与えるから、そのあいだにこの仕事を終わらせて」といわれたほうが、見通しがつくのではないでしょうか。全体を4分割し、複雑な仕事をより単純なレベルに落とせば、やるべきことがクリアになります。

勉強も「今日は2時間やるぞ！」と考えるのではなく、「このテキストの20ページ分を2時間で終わらせるぞ！」と考えるのです。そして、「25分で5ページ」を4回くり返せば、目標が達成できますよね。

気分が高ぶって休憩したくないときもあるかもしれません。でも、はやる気持ちを抑えて休憩すれば、次に作業を再開するときに「次はこれをやるんだった！」と勢いよく取りかかれます。作業と休憩のくり返しが重要です。

長めの休憩も重要

　ある程度学習を進めたら、30分の長い休憩をとりましょう。2〜3時間に1回は長い休憩をとることをおすすめします。小まめに休憩しているとはいえ、徐々に疲れがたまります。この時間術の重要な目的は「効率的に仕事を進めること」ですから、効率が落ちてきた時点で、大きな休憩をとりましょう。

　実際に受験生時代に、これと同じ方法で自習していたという東大生は多いです。自習室で、25分＋5分のペースを保ち、25分は自習室の机の前で勉強して、5分は机から離れて休憩スペースに行く、ということをしていたそうです。わざと机を離れて空気を入れ替え、気分をリラックスさせるためです。

- 『どんな仕事も「25分＋5分」で結果が出る　ポモドーロ・テクニック入門』
よりくわしいポモドーロテクニックの活用法がわかります。
フランチェスコ・シリロ（著）、斉藤裕一（訳）、CCC メディアハウス

クロス読み勉強法

2冊の本を同時に読んで「意見が分かれるポイント」を探す

カテゴリー	効率化のための工夫
パラメーター	準備は大変だが効果が高い
タイプ	・読解力を身につけたい人 ・本質的な能力を身につけたい人
タグ	# 読解力を鍛える # 本を読み比べる # 読書術

レーダーチャート: 即効性 / 難易度（簡単さ）/ 長期記憶 / 続けやすさ / 準備

やり方

A ＝ B
A A
B ⇕ B

クロス読みとは、**同じテーマについて書かれた2冊の本を同時に読み進め「意見が対立するポイント」を探す**読み方です。2冊の本で意見が異なっている箇所を見つけたらノートに書き留めて、それぞれの本ではどのように書いてあるかを整理し、どこが意見の分かれ目なのかを読み比べます。テキストや参考書も、同じ分野をどのように解説しているかを読み比べます。2冊の本で言葉の定義が違ったり、一方では重要視されている内容がもう一方では軽視されていたりすることもあります。

　「同じテーマでも全然意見が違う」と、考え方の幅広さを実感できたら大成功です。**「どこで意見が分かれているんだろう？」と考えながら読むことで読解力が底上げされ、客観的で多面的な思考力を鍛える**ことができます。これを活用したのがクロス読み勉強法です。

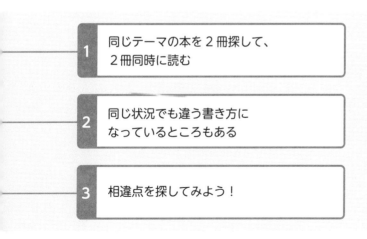

1	同じテーマの本を2冊探して、2冊同時に読む
2	同じ状況でも違う書き方になっているところもある
3	相違点を探してみよう！

クロス読みの方法

　まず、類似するテーマについて書かれた本を2冊用意します。読みたい本が1冊決まっているなら、それにあわせてもう1冊を選びましょう。同じテーマについて「目線が異なる」本を選ぶのがおすすめです。あるテーマに肯定的な本と否定的な本、文化として捉える本と科学的に分析する本、ミクロな視点の本とマクロな視点の本、子ども向けの本と大人向けの本……など、対比の軸はさまざまです。

　2冊の本が決まったら、まず1冊目をキリのよいところまで読み、続いて2冊目を読み始めます。1冊目を1章読んだら2冊目も1章読む、というように、同じくらいのペースで交互に読み進めます。読み進めるうちに「あれ、もう1冊では違うことが書いてあったな……」「ここは根拠が薄い気がする。もう1冊ではどう書いてあったかな？」などの違和感があったら、それをノートに書き留めておきましょう。

ある程度読み進めたら

　ある程度2冊とも読み進めたら、書き留めた箇所が2冊の本でどう異なる書き方をされているのか、読み比べてノートにまとめましょう。肯定派の意見はこうだけど否定派はこう考えている、この地域ではこういう影響が出たけど世界全体で見るとこうだった、というように、同じテーマでも複数の見方があるのがわかります。「意見が分かれるポイント」を把握したうえで本を読むことで、内容を深く理解することができます。

やってみた！

クロス読みで「意見が分かれるポイント」を探すことに慣れると、友達との会話やインターネット上の意見なども多角的に捉えられるようになります。さまざまな意見を比較し検証することで思考の幅が広がり、読解力が格段に向上します。また、小説や漫画、映画といったフィクション作品を楽しむときも「クロス読み」の手法が応用できます。登場人物たちの対立するポイントを正しく理解することで、物語をより深く味わうことができるでしょう。

おすすめの本

•『「読む力」と「地頭力」がいっきに身につく東大読書』
速く読めて、内容を忘れずに、応用できる東大生が実践している読書術を一冊に凝縮しました。
西岡壱誠（著）、東洋経済新報社

スマホ勉強法

スマートフォンだって活用次第！

■ カテゴリー	効率化のための工夫
◆ パラメーター	お手軽で記憶にもつながる方法です
◢ タイプ	• 復習する時間が取れない人 • スマホをずっといじってしまう人
# タグ	# 写メでダメ集 # リマインド # 夜に記憶せよ

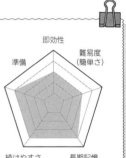

ダメ集

1 解けなかった問題を集めた「ダメ集」をつくる

スマホ勉強法は、スマートフォンの機能を使って勉強するというものです。スマートフォンは、人によっては起きている時間の大半を費やしてしまうほど、わたしたちの生活に密着しているデバイスです。そんなスマホは、長いあいだ「勉強するときには邪魔になってしまうものだ」といわれてきました。実際、勉強するつもりだったのに、YouTube や TikTok に時間を使ってしまったと嘆く人は多いのです。でも、そんなスマホも、活用次第では、勉強に大きく役立つのです。

「ダメ集」づくり

　これは、**まちがえた問題を写真に撮り留めておく**というものです。まちがえてしまった問題や、意味がわからずに調べた英単語などを、写真やスクリーンショットなどで撮っておきます。その写真を、1つの写真フォルダにして、定期的にそのフォルダを見返すのです。毎日1回くらいのペースがいいでしょう。見返すことで自分ができなかったところを理解し、知識の抜けている部分を補強し、次はミスしないようにするのです。そして、定期的に写真を追加したり、「これは大丈夫だな」と思う写真は削除します。こうすることで、「ダメ集」の精度が上がります。1つのミスがずっと残り続けて「これが自分の弱点なんだな」と気づくこともありますし、撮り留めた写真がどんどん少なくなっていって「自分は成長している」と実感することもあります。大切なのは、文字情報ではなく写真として画像情報で残すことです。

リマインドアプリを活用する

　一日の最後に、明日の自分に話しかけるイメージで、「覚えておかなければならないこと」「忘れたくない事柄」を書き留めて、定期的にリマインドアプリで届くようにするというものです。「絶対にこのスペルミスをしないこと！」「鎌倉幕府の成立は1185年！」というように、知識や教訓をリマインドアプリに入力して、適切なタイミングでリマインドしてもらいます。もともとスマホに入っているリマインドアプリでもいいですし、「remaindo」というリマインドアプリでもいいでしょう。ちなみに、**リマインドするタイミング**

は、「朝に教訓」「夜に記憶」が鉄則です。

　朝は、自分の気持ちを引き締める時間です。教訓がリマインドされたら、「よし、やろう！」という気になります。一方、夜は、寝る前の時間＝記憶のゴールデンタイムとよばれる時間です。記憶が整理されるのは睡眠中の時間帯なので、夜のほうが覚えなければならないことを覚えておくことができる割合が高いのです。

やってみた！

この2つの方法を組み合わせて、スマホのホーム画面（いちばん最初の画面）に「絶対に次はまちがえたくない問題」や「絶対に覚えておきたい内容」を画像で貼っておくという方法があります。1つか2つしか設定できませんが、スマホに触れるたびに目に入ってくるので、よく覚えられるでしょう。

おすすめの本

• 『東大式スマホ勉強術』
　スマホを駆使した効率的な勉強法が満載です。
　西岡壱誠（著）、文藝春秋

勉強に役立つ思考法

03

「頭のよさは才能か」という議論がありますが、そんなことはないと思います。そんな仕事にも使える思考法をここでは紹介します。

---

p.148

セルフディベート勉強法

ディベート的にプラスとマイナスで整理しておく勉強法

#ディベートしよう

#多角的なものの見方

#英作文にも使える

p.152

レイヤー思考

物事の階層をあわせる思考法

#分解して考える

#議論にも使える

#思考力を鍛える

---

p.156

本質思考

ミクロな視点とマクロな視点を行き来する

#具体化と抽象化

#思考力を鍛える

#ミクロとマクロ

p.160

背景思考

因果関係と背景を考えて問題の本質をつかむ

#思考力を鍛える

#なぜ？で掘り下げる

#ニュースに強くなる

146

見つける！

実践的なの勉強法 ▼ 　　　才能は不要 ▼

思考法 ▼ 　　　仕事にも使える ▼

p.164

人に教える勉強法

自分が先生になって人に教える勉強法

#アクティブラーニング
#ちょっと恥ずかしいけど役に立つ
#アウトプット術

p.168

質問読み

つねに著者に問いかけながら読む

#思考力を鍛える
#読書術

p.172

全部言い換え勉強法

ノートやメモですべての情報を言い換えて書く方法

#情報整理法
#語彙力を鍛える
#アウトプット術

セルフディベート勉強法

ディベート的にプラスとマイナスで整理しておく勉強法

📁 カテゴリー	勉強に役立つ思考法
⬠ パラメーター	難しいが、効果が高い方法です
👥 タイプ	・本質的な能力を身につけたい人 ・小論文が必要な人
# タグ	# ディベートしよう # 多角的なものの見方 # 英作文にも使える

レーダーチャート：即効性／難易度（簡単さ）／長期記憶／続けやすさ／準備

やり方

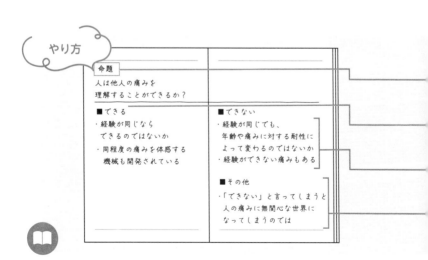

命題

人は他人の痛みを
理解することができるか?

■できる
・経験が同じなら
　できるのではないか
・同程度の痛みを体感する
　機械も開発されている

■できない
・経験が同じでも、
　年齢や痛みに対する耐性に
　よって変わるのではないか
・経験ができない痛みもある

■その他
・「できない」と言ってしまうと
　人の痛みに無関心な世界に
　なってしまうのでは

セルフディベート勉強法は、**一つの物事に対してディベートの考え方を用いて整理する**方法です。まずはなんでもいいので一つの意見を学び、それについて、自分の思う賛成意見と反対意見、その主張を裏づける事例やその主張に反する事柄などを列挙します。その際に、「賛成意見・反対意見」のどちらか一方ではなく両方とも集めるのが重要です。どのポイントで主張が食い違っているのか、どこが論点なのかを整理することで、多角的に物事を見ることができるようになるのです。

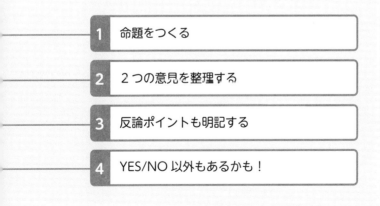

1 命題をつくる

2 ２つの意見を整理する

3 反論ポイントも明記する

4 YES/NO 以外もあるかも！

賛成と反対を整理する

　一つの事柄には賛成意見もあれば反対意見もあります。光があれば、闇もあります。歴史や地理だってそう。たとえば、産業革命はイギリスに「世界の工場」とよばれるほどの工業力を与えましたが、同時に、長時間労働などの現在まで続く多くの労働問題を生み出しました。ダムをつくることは、洪水などの水害を減らし、また水不足の解消につながるなどのメリットがありますが、同時に多額の税金を使い、生態系の破壊などにつながるなどのデメリットもあります。ですから、さまざまなテーマに対して、賛成と反対をしっかりと整理するのです。

　たとえば、「It is not possible to understand other people's pain（人は、他人の痛みを理解することなんてできない）」という英語の文章を読んだとしましょう。「たしかに、僕は車にひかれたことがないから、車にひかれた人の痛みなんてわからない」と賛成の意見を考えたあとで、「あれ？　でも骨折とか経験したことがある人ならいっぱいいるよね！　骨折の痛みなら、理解できるんじゃないか」と、自分にとって身近でわかりやすいものでかまいませんから、考えてみるのです。

　そして、その際に重要なのは、「論点」を見つけることです。「出産のような、人によっては体験できない痛みもある」「理解できないとしても、わかろうとする姿勢を持つことはできる」というように、どこで賛成と反対が分かれているかを見出すようにするのです。

さまざまなセルフディベート

　ネットの記事やニュース番組にも、この「セルフディベート」が存在しています。賛成意見だけを述べるニュースや反対意見だけを伝える記事は、客観性に欠けるイメージを持たれるからです。肯定意見と否定意見の両方を確認する習慣を持ち、些細なニュースでも、「肯定意見ばかりを聞いてしまったな、否定意見ってなにがあるんだろう？」と、自分でバランスを調整するのもおすすめです。

やってみた！

　東大生は英作文で「賛成か反対か答えなさい」という問題を練習をするのに、この勉強法を実践していたという人が多いです。その際は、賛成意見だけでなく、反対意見も書く訓練をしておくのです。そうすると、賛成意見だけを書いていたときに比べて、広い視野を身につけることができます。

おすすめの本

• 『武器としての決断思考』
ディベートを日常生活やビジネスに応用する
方法がまとまっています。
瀧本哲史（著）、星海社新書

レイヤー思考

物事の階層をあわせる思考法

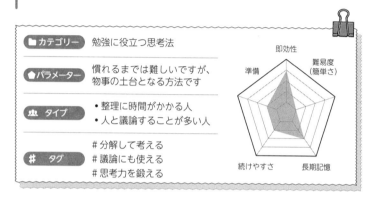

📁 カテゴリー	勉強に役立つ思考法
⬠ パラメーター	慣れるまでは難しいですが、物事の土台となる方法です
🐛 タイプ	・整理に時間がかかる人 ・人と議論することが多い人
# タグ	# 分解して考える # 議論にも使える # 思考力を鍛える

（レーダーチャート：即効性、難易度（簡単さ）、長期記憶、続けやすさ、準備）

やり方

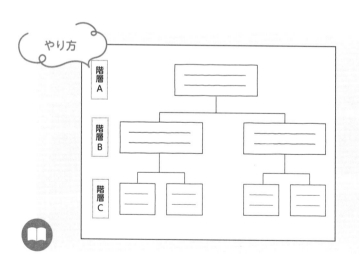

階層A

階層B

階層C

レイヤーとは層のことです。地層をイメージすればわかりやすいのではないでしょうか。そこから、レイヤー思考は、物事の粒度・粒感をあわせるという思考です。たとえば、「会社の経営が悪化している」という問題に対して、「経費を削減すべきだ」という人と「クーポンを配るべきだ」という人とで話し合っても絶対に解決しません。なぜなら2人は根本的に違う話をしているからです。「経費削減」と「売上高向上」は利益を増やすという観点では同じレイヤーの話です。しかし、クーポンを配るのは売り上げを上げるための具体的な施策であって、その前に話さなければならないのは「経費削減と、売上高の向上と、どちらを優先すべきか」です。その場合、抽象的な命題から順番に、レイヤーを揃えながら思考をめぐらせていく必要があるのです。

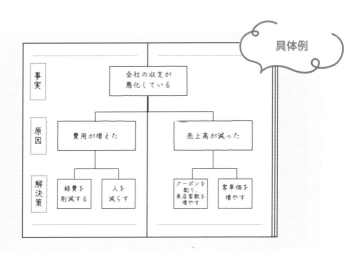

物事を分解して整理する

レイヤー思考を実践する場合は、**大きな命題を分解していくように、物事を整理**していきます。たとえば、「この地域はどうして人口が減っているのか」からスタートするなら、まず「人口が減る要因」を分解します。人口が少なくなるのは、「その地域の子どもの出生数が減っている」というのと、「外の地域からその地域に来る人よりも、その地域から外に出る人が多い」という要因の2つがあげられますが、まずこの2つを切り離して考える必要があるわけです。

そして、その切り離した要因を、それぞれ細かく分解します。「その地域の子どもの出生数が減っている」原因を考えるなら、「子どもを育てるのに適した環境が整備されていないから、子どもを産む人が少ない」と、「そもそも出産適齢期の世代の夫婦が少ない」と考えることができます。「外の地域からその地域に来る人よりも、その地域から外に出る人が多い」も、「外の地域から人が来ない」と「その地域から外に出る人が多い」の2つに分解することができます。

レイヤーを守って考えよう

重要なのは、きちんとレイヤーを守って考えていくことです。「この地域はどうして人口が減っているのか」に対して、「魅力がないから」「子育て環境が整っていないから」と考えてしまうと、「『子育て環境』は『魅力』のなかに含まれるのではないか?」と混乱してしまいます。ですから、要因をしっかりとていねいに分解していくことで、レイヤーを整理して物事を考えていくことができるわけです。

やってみた！

レイヤー思考は、人と議論するときにも活用できます。ディスカッションする際に、多くの人はパッと思いついたことを話しがちです。しかし、「大きな命題から、どんどんレイヤーを下に降ろしていく感覚で話をする」必要があるのです。そうすれば、話のレイヤーが食い違うことがなくなり、議論が整理されていきます。ぜひ試してみてください。

おすすめの本

• 『東大生の考え型』
さまざまなフレームワークがまとまっています。
永田耕作（著）、日本能率協会マネジメントセンター

本質思考

ミクロな視点とマクロな視点を行き来する

カテゴリー	勉強に役立つ思考法
パラメーター	難易度は高いですが、効果の高い方法です
タイプ	• 本質的な能力を身につけたい人 • 覚く考えるのが苦手な人
タグ	#具体化と抽象化 #思考力を鍛える #ミクロとマクロ

レーダーチャート項目: 即効性／難易度（簡単さ）／長期記憶／続けやすさ／準備

やり方

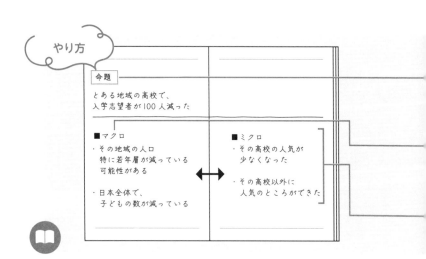

命題

とある地域の高校で、
入学志望者が100人減った

■マクロ
・その地域の人口
　特に若年層が減っている
　可能性がある

・日本全体で、
　子どもの数が減っている

■ミクロ
・その高校の人気が
　少なくなった

・その高校以外に
　人気のところができた

本質思考は、さまざまな手法を使って「なぜ？」を考える思考のことを指します。「なぜ空は青いのか」「なぜ猫は気まぐれなのか」「なぜ 1853 年にペリーが来航したのか」など、「なぜ」という問いを用いて本質的な理解ができます。

　「Q. なぜシャッター通り商店街が日本に増えているのか？」「A. モータリゼーションの進展で駐車場を備えた大型のスーパーマーケットが増え、駅近の商店街の需要が減ったから」というように、問題の本質をつかめると、応用することができます。たとえば、「モータリゼーションの進展で商店街が衰退したのは、駅の利用客が減ったからで、駅の近くのお店や駅自体にもダメージがあるはずだ」と考えることができます。

　この思考には、**「具体化」**と**「抽象化」**という方法があります。問題を具体的に示し説明を追加するのが具体化、問題をほかのものにも広げ、応用するのが抽象化です。

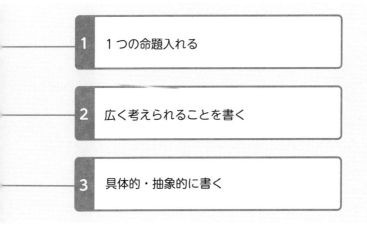

1 　1 つの命題入れる

2 　広く考えられることを書く

3 　具体的・抽象的に書く

具体化と抽象化

たとえば、「猫はどうして気まぐれなのか」という問いがあったときに、「『気まぐれ』と感じるのはどういうところだろう?」「どういう仕草を見て、『気まぐれ』だと感じるのだろう?」と考え、「猫はどうして犬と違って、こっちに来てほしいとよんでも来てくれないんだろう?」と具体的に考えることができます。

逆に、「『気まぐれ』は猫だけでなく、ネコ科の動物全体にいえるのではないだろうか?」「気まぐれなだけでなく、人、もっといえば群れのリーダーのいうことを聞かないと解釈できるのではないだろうか」と抽象的に考えることもできます。

このように問いを具体化したり抽象化したりするなかで、問いへの答えが出やすくなり、本質的な理解ができるようになるのです。

比較を意識しよう

具体化・抽象化の際には、**比較を意識するとやりやすくなる**場合があります。

例として「廃棄率」というデータを紹介しましょう。「廃棄率」は、食材を食べるときに、どれくらいの部分を廃棄しているかを示したデータで、通常は廃棄部分の重量を、食材の総重量に対する比率で示しています。たとえば、「バナナ」の皮は食べられないのでその部分を取り除いて食すため、廃棄率は40%程度といわれています。

こう聞いても、ピンとこないと思います。しかし、比較したらどうでしょう? たとえば、りんごの廃棄率は15%、さくらんぼは10%だといわれています。桃やぶどうも15%と少なく、多いのは

メロンで 50%。ばらつきがあります。

　このように比較していくと、「え、どうしてメロンはそんなに高いんだろう？」「意外と桃が低いけど、どうしてだろう？」と疑問が出てきますね。「メロンの廃棄率が高いのはなぜか」というように問いが具体的になり、また「廃棄率が高い果物の特徴は？」という抽象的な問いもつくることができます。

やってみた！

東大生の多くはこの本質思考を実践していますが、その理由は東大の入試問題でこの思考を用いる問題が出題されているからです。先ほどの「シャッター通りが増えている理由は？」は実際の東大の入試問題ですし、「ブルーベリー農家が東京都に多い理由は？」という問題も出題されました。本質をとらえるのが苦手だと感じる人は、「思考力問題」とよばれるこうした問題にぜひ触れてみてください。

おすすめの 本

• 『「ドラゴン桜」式クイズで学ぶ東大思考』
地理の先生といっしょに東大の入試問題をもとに、クイズ形式で本質思考などが学べます。
宇野仙（著）、星海社新書

背景思考

因果関係と背景を考えて問題の本質をつかむ

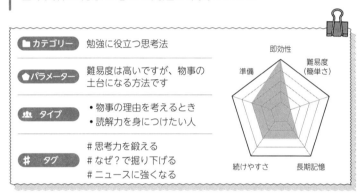

カテゴリー	勉強に役立つ思考法
パラメーター	難易度は高いですが、物事の土台になる方法です
タイプ	• 物事の理由を考えるとき • 読解力を身につけたい人
タグ	# 思考力を鍛える # なぜ？で掘り下げる # ニュースに強くなる

レーダーチャート：即効性、難易度（簡単さ）、長期記憶、続けやすさ、準備

やり方

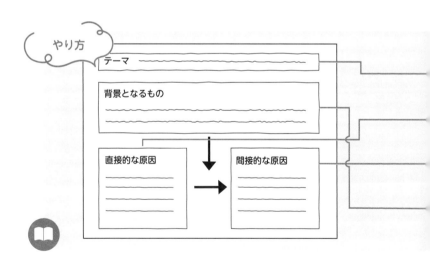

テーマ

背景となるもの

直接的な原因

間接的な原因

背景思考は、その問題の「背景」を考える思考法です。たとえば、「なぜ最近、駅前の商店街に活気がなく、シャッターを閉めたままの商店街が増えているのか」という質問に対して、「多くの人が商店街で買い物をしなくなったから」という答えで正しいでしょうか？　まちがいではありませんが不十分ですよね。「でも、なんで買い物をしなくなったの？」と、原因も知りたいと考える人が多いと思います。そこで登場するのが、「背景」です。「車で移動してまとめて買い物ができる大型のショッピングセンターが増えたから」「地方で駅を利用する人が減って車を利用する人が増えたから」などが考えられます。背景を理解できなければ真に理解したとはいえないのです。

1	考えたいことや問いを上に書く
2	その表面的・直接的な原因を考える
3	その裏側にある間接的な原因を考える
4	3 をふまえて問題の背景を考える

問いを深掘りする

まずテーマとなる「問い」をノートに書き留めます。そして、その問いの表面的・直接的な原因を考えて書きましょう。さらに、その裏側にある原因を考えます。表面的・直接的な原因がどうして引き起こされたのかという「なぜ」をもう一度問うイメージです。

「シャッター通り商店街はなぜ増えたのか？」に対して「商店街で買い物をしなくなったから」という原因を考えたうえで、「それはなぜ？」ともう一度問うわけです。

「なぜＡ企業は倒産したのか？」→「財政赤字におちいったから」→「なぜ財政赤字におちいったのか？」と、問いをどんどん深くしていくイメージを持ちましょう。問いを深掘りすればするほど、その背景を知ることができるようになります。

「なぜ」をくり返して理解を深めよう

物事の裏面を理解できなければ、理解したことにはなりません。豊臣秀吉は「刀狩り」といって、農民の持つ刀や金属製農具を押収しましたが、その際に「大仏を造るための材料に金属を使うから刀や鉄製の農具を献上するように」という理由を説明していました。そして事実として金属は大仏の建立に使われました。しかし、その理由は建て前でした。農民が反乱を起こさないようにするために武器などを取り上げたのです。その背景にあったのが、農民一揆の多発という事実です。１つの要因で満足していると真の答えにはたどりつけません。いろいろな目線で見る必要があります。ぜひ、**「なぜ」という問いを深掘り**していきましょう。

やってみた！

東大生は、歴史を勉強するときには必ず「その時代がどういう背景だったのか」を考えます。ペリー来航は1853年ですが、19世紀とはそもそもどんな時代だったのか、ということを考えるのです。ほかにも社会のなかで重要なニュースやできごとに関して、時代背景や言葉を明確にして理解することを実践していました。ぜひ試してみてください。

おすすめの本

• 『「考える技術」と「地頭力」がいっさに身につく　東大思考』
東大生の思考回路を、だれでも再現可能な方法で実践的なテクニックとして紹介します。
西岡壱誠（著）、東洋経済新報社

人に教える勉強法

自分が先生になって人に教える勉強法

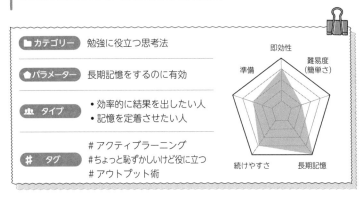

📁 カテゴリー	勉強に役立つ思考法	
⬠ パラメーター	長期記憶をするのに有効	
🐛 タイプ	• 効率的に結果を出したい人 • 記憶を定着させたい人	
# タグ	# アクティブラーニング #ちょっと恥ずかしいけど役に立つ # アウトプット術	

レーダーチャート項目：即効性、難易度（簡単さ）、長期記憶、続けやすさ、準備

やり方

光合成とはなにか？

人に教える勉強法は、その名のとおりほかの人に説明するというものです。実際に友達や家族に教えてみてもいいですが、ぬいぐるみなどに説明してもいいでしょう。

　プログラマーが実践する課題解決法の一つに、「ラバーダッキング法」があります。「ラバーダック」というのは「ゴム製のアヒル」のこと。お風呂に浮かべるアヒルの人形に、自分の悩みや課題を話しかけるのです。これによって、自分が考えていることがアウトプットでき、課題が解決されたりするのです。これはプログラミング以外でも役に立ちます。たとえば、成績が上がるといわれている「アクティブラーニング」という授業スタイルでは、反転授業といって、生徒が先生役になり授業をするという方法があります。自分が説明する側に立ったときに、普通に勉強する以上の学びがあるのです。

1	だれかに説明すると理解が深まる
2	単元のポイントとつまずきやすいポイントを押さえて説明する

基本的な実践方法

　人に教える勉強法は、長期記憶を形成するのに最適な方法だといわれています。人に説明するときに頭のなかで再理解が行われ、記憶が長く続くようになるそうです。実際、この勉強法で説明したことは忘れにくくなります。

　この勉強法は、細かいルールに縛られずに自由に実践しましょう。たとえば、なにか一つのテーマについて説明をするとします。実際に口に出してだれかに説明するのがおすすめですが、説明ノートをつくったり、スマホに説明をメモ書きしてもかまいません。慣れてくるとだんだん上手になります。説明のコツとして、「問いをつくり、その答えをつくる」という整理方法があります。たとえば「サンベルトってなに？」という質問を考えて、その答えを「サンベルトというのは、アメリカの地域のことで〜」と整理していくのです。この方法なら簡単に説明を書けるようになります。

　そして、説明をするなかで、「あれ？　なんだかうまく説明できないな」と思うことがあったら、それを復習しましょう。**説明できていないということは、理解し切れていないということ**にほかなりません。

　最初は、本やネットを活用しながらでかまいません。ただし、そのときは、「説明を読み上げるだけ」ではいけません。172ページの「全部言い換え勉強法」と同じように、同じ言葉を使わず、言い換えて説明するということを実践していくとよいでしょう。

　また、説明している様子を録音や撮影して、振り返るのもおすすめです。

やってみた！

自分でこの方法を実践してみると、「あれ、ここうまく説明できないな」と思うポイントが出てくることがあります。そういうポイントは、おそらく自分でも納得できていなかったり、本当はよくわかっていない箇所だと考えられます。重点的に復習するべきポイントがどこにあるのかが浮き彫りになるわけです。

おすすめの本

• 『何歳からでも結果が出る　本当の勉強法』
成果に直結する勉強をわかりやすく解説しています。
望月俊孝（著）、すばる舎

質問読み

つねに著者に問いかけながら読む

■ カテゴリー	勉強に役立つ思考法
● パラメーター	難易度が高く準備も大変ですが、効果が高い方法です
🛉 タイプ	・読解力を身につけたい人 ・本を読むのが遅い人
# タグ	#思考力を鍛える #読書術

即効性
難易度（簡単さ）
準備
続けやすさ
長期記憶

やり方

1933年に、アメリカではフランクリン＝ローズヴェルト大統領が世界恐慌からの脱却を図るために新政策を打ち出しました。

それが、ニューディール政策でした。ニューディール「New Deal」とは、「新規まき直し」という意味です。この政策により、経済復興を行おうとしたのです。

Q1
この時期の世界恐慌は、どんな原因で起こっていたものだったのか？

Q2
ニューディール政策の具体的な中身はどのようなものだったのか？

Q3
ニューディール政策はうまくいったのか？

質問読みは、評論などで質問を探しながらより深い理解ができる方法です。そもそも、評論文を書くうえで、多くの著者が使っている文章のテクニックが「質問をつくっておくこと」です。序盤に問いを立て、その場ではその質問に答えずあとで答える、というかたちで文章を書くことで、読者を引きつけ、最後まで読んでもらおうとしているのです。このような文章の場合、文章全体の話の展開のなかで「質問」と「答え」は密接なつながりを持っています。

　質問読みは、この性質を利用し、**質問を探して、その質問に対する答えとして本文全体を読むことで理解が早くなる**というものです。著者の目論見を理解し、「質問」に対する「答え」を探しながら本を読むことで、隅々までじっくり目を通すことになり、内容をよりくわしく理解できるのです。

| 1 | 文を読んで、疑問に思ったことをいくつも書き出す |

| 2 | 言葉の意味や具体的な内容、その結果起こったことなど、なんでもいいのでとにかく質問を考える |

質問読みの具体的な方法

まず、題材となる評論文を用意します。最初は現代文の教材を用いるとわかりやすいと思いますが、英文で書かれたものでもかまいません。

評論を冒頭から読み進め、「質問」になる箇所を探してチェックします。たとえば、著者が文中で「なぜ〜なのでしょうか？」と問いかけている箇所は、そのまま質問になります。また、読んでいて「この単語はどういう意味だろう？」「この主張の根拠は？」など、疑問に思ったところも質問です。著者が目の前にいたらどんなことを質問してみたいか、という視点でもかまいません。

質問が見つかったら、そのたびに記録しましょう。直接書き込んでも、マーカーなどで線を引き、質問内容はノートにまとめてもいいでしょう。質問には番号を振ります。書籍の場合、色を統一して付箋に貼ると、あとで探しやすくなります。

読み進めるなかで「質問」に対応する「答え」の記述が見つかったら、チェックして書き留め、対応する番号を振りましょう。たとえば、質問が赤のマーカーや付箋なら、答えは青のマーカーや付箋にするなど、色を分けると見やすくなります。とくに重要だと思った質問は、文中から著者の答えを探し、さらに自分なりの答えを書くと理解を深めることができます。

思考力も鍛えられる

つねに質問を探しながら読書することで、批判的な思考力が鍛えられます。その情報がどういう意味を持ち、どういう主張と結びつ

いているのかを理解することが、情報を知識に変える第一歩です。

　ある「問い」に対して相手がどう「答え」を出しているかを把握し、改めて自分の頭で自分なりの「答え」を導くことは、思考力のトレーニングとしても最適です。

国語の評論文だけでなく、どんな書籍でもこの方法は活用できます。東大生のなかには、本を読むときに「質問」が出てきたページに付箋を貼り、その付箋に質問を書いておくことで、「質問」にいつでも戻ってこられるようにして本を読むという方法を実践している人がいました。これなら、質問の答えを探しながら本を読み進められます。

・『「読む力」と「地頭力」がいっさに身につく東大読書』
速く読めて、内容を忘れずに、応用できる東大生が実践している読書術を一冊に凝縮しました。
西岡壱誠（著）、東洋経済新報社

全部言い換え勉強法

ノートやメモですべての情報を言い換えて書く方法

■ カテゴリー	勉強に役立つ思考法
◆ パラメーター	続けるのはとても難しいですが、効果が高い方法です
⚙ タイプ	・ノートを取って勉強している人 ・知識を定着させたい人
# タグ	# 情報整理法 # 語彙力を鍛える # アウトプット術

（レーダーチャート：即効性、難易度（簡単さ）、長期記憶、続けやすさ、準備）

やり方

戦国時代、商工業者は様々な制限がかけられていました。税金を払う必要があったり組合に所属していなければならなかったり、関所でお金を払わなければならなかったり。
楽市楽座は、それらの制限を取り去ることで、自国の経済を潤そうとした取り組みです。織田信長が行ったことで有名ですが、その他にも実際に行った戦国大名がいました。

Q1
楽市楽座とは？

A1
織田信長ら各地の戦国大名が、支配地で様々な制限を取っ払って自国の経済発展を図った政策

全部言い換え勉強法は、**ノートやメモを取るときに、すべての情報を言い換えて書く方法**です。たとえば、「日本では少子高齢化が深刻化している」という情報があったときに、「2024年現在、日本では子どもが少なくなって高齢者が増えるという現象が発生している」というように、完全な言い換えをするのです。

　多くの人は、すべての情報をノートに取ろうとします。先生が黒板に書いたことはすべて書き、先生が話したことは一言一句、メモしようとする場合が多いでしょう。しかし、そうやってすべての情報をまとめると、ノートを取ることに時間をとられてしまって、頭のなかにはなにも残らないということがあります。だからこそ、核となる情報のみを抜き出しつつ、自分なりの言葉で情報を言い換えるのです。

1	話の内容を、自分なりの言葉・自分なりのやり方でまとめる

2	「問いと答え」にしてもいいし、記号を使ってもOK

なにが重要なのかを見極める

全部言い換え勉強法で重要なのは、「なにが重要なのか」を見極めることです。情報の「核」となる部分がピックアップできることが重要です。

たとえば、「外国に行くことで、英語を話せるようになったり、異なる文化や伝統について学ぶことができる」という文があったとして、なにが核になると思いますか？

ポイントは、**「具体的な物事に惑わされず、本当にいいたいことを見つけること」**です。この文では、「外国に行くこと」について話をしていますが、その効能として、「英語を話せるようになる」「異なる文化や伝統について学ぶことができる」に触れています。ですが、それはただの具体例です。この文は、「外国に行くことにはいい影響が多い」ということを語っているのです。それを、ただ英語や文化や伝統の話をメモすることに必死になっていては、話の核を理解することはできないのです。

このように、具体的な例を聞きながらも、抽象的な話として、相手のいいたいことを理解できるように、「本当はなにがいいたいのか」を考える習慣を身につけるのです。

類義語を使いこなす

この「全部言い換え」をするためには、具体的な説明をしたり、記号を使ったり、類義語を使う必要があります。「円安の傾向が顕著」という情報があったら、「円の価値が下がってしまう状況が続いてしまっている」というように、「円安」「傾向」「顕著」という言

葉をそれぞれ言い換えるのです。言い換えることは、自分の頭で考えてアウトプットすることにつながります。

実際に東大生は、ごく自然にこの勉強法を実践しています。先生の授業から参考書のまとめノートにいたるまで、すべての勉強において「言い換え」を実践しているのです。普段から当たり前のように実践していると、どんな情報も一度自分で咀嚼（そしゃく）する習慣ができるので、大きな効果が見込めるのです。

おすすめの本

• 『「思考」が整う東大ノート』
情報を整理して、理解して、説明できるようになるノートの使い方です。
西岡壱誠（著）、ダイヤモンド社

テキストの選び方

　テキストや参考書は、難しいほうがいいですか？　簡単なものを選ぶべきですか？　という質問をよく受けます。

　これは悩みどころです。難しいものを選ぶと理解しきれないかもしれません。簡単なものを選べば簡単すぎてレベルアップできないかもしれません。

　この質問に対する回答は、もちろん状況によって変わりますが、実は、勉強に慣れている人がやっているテクニックがあります。それは、「両方買って、いいとこ取りをする」というものです。

　2冊を用意して、まずは簡単なテキストや参考書を読んでいきます。そこでざっくりと理解をしたら、次は難しいほうを読みます。ここで重要なのは、「簡単なもの→難しいもの」の順番で行う、ということではありまでん。両方を、同時並行で進めるのです。同じ分野について、簡単なほうと難しいほうで、どのように説明がちがうのかについて調べていきます。2つの方向性で理解していくことで、理解が深まっていく……これは、「クロス読み」と同じ方法ですね。

　強いて1冊を選ぶならば、簡単なほうを選び、そこにいっぱい情報を書き込んでいくという勉強法をやってみてもいいかもしれません。CHAPTER 3で紹介する「単語帳グレードアップ」の要領で、簡単な本に難しい情報を追記していくのです。ぜひやってみてください！

具体的な
方法や
テクニック

試験対策の方法

01

CHAPTER 3 では試験対策やさまざまなテクニックを紹介します。
まずは、試験に有効な方法です。

---

p.180

過去問先勉強法

過去問を先に解いて、3つ
の対策をしよう！

#資格試験対策

#心が折れるのを防ぐ

#やるべきことがわからない

---

p.184

先に答えを見る勉強法

先に答えを見て解法のプロ
セスを想像する

#試験対策

#先に答えを見てなにが悪い

---

p.188

合格点勉強法

合格点を意識してどこに時
間をかけるかを見つけ出す
勉強法

#試験対策

#理想と現実のギャップを埋める

---

p.192

戦略思考勉強法

現状と理想を書き出して、
そのギャップを埋める方法
を考える勉強法

#試験対策

#理想と現実のギャップを埋める

見つける！

具体的な方法 ▼ テクニック ▼

試験対策 ▼ 資格試験 ▼

p.196

避難訓練勉強法

本番力を鍛える勉強法

#本番力を鍛える
#ケアレスミスを防ぐ
#もう焦らない

p.200

制限時間勉強法

時間を制限することで緊張
感を持たせる勉強法

#問題ごとに時間を決める
#本番力を鍛える

p.204

自作ひっかけ問題

作問者の立場に立って
「ひっかけ問題」を考える

#作問の意図を知る
#自分で問題をつくる
#ケアレスミスを防ぐ

過去問先勉強法

過去問を先に解いて、3つの対策をしよう！

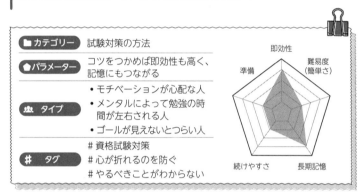

■ カテゴリー	試験対策の方法
● パラメーター	コツをつかめば即効性も高く、記憶にもつながる
👥 タイプ	• モチベーションが心配な人 • メンタルによって勉強の時間が左右される人 • ゴールが見えないとつらい人
# タグ	# 資格試験対策 # 心が折れるのを防ぐ # やるべきことがわからない

やり方

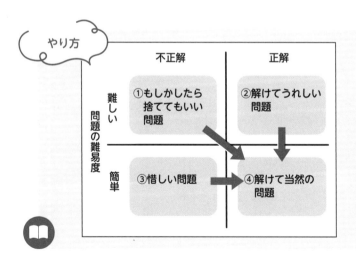

	不正解	正解
難しい	①もしかしたら捨ててもいい問題	②解けてうれしい問題
簡単	③惜しい問題	④解けて当然の問題

問題の難易度

過去問先勉強法は、その名のとおり、過去問を「先」に解く勉強法です。つまり、**勉強を本格的に始める前の段階で、解ける解けないにかかわらず、とにかく過去問を解いてみる**のです。高校1年生の段階で大学の過去問を解いたり、勉強を本格的に始める前にTOEIC®の問題を解くということです。とりあえず触れてみるということが重要です。過去問を解かずに勉強していると、どんな問題が解ければ合格できるのかがわからずに、時間を無駄にしてしまうことがあります。英語で、文法に時間をかけていたら、実際は英文法の問題はほとんど出なかった、などということはザラにあります。過去問先勉強法では「数カ月後、数年後にどんな問題が解けなければならないのか」「いまから勉強する内容は、なにがゴールなのか」を考えながら勉強ができるので、やるべきことを明確にすることができるわけです。

---

① もしかしたら捨ててもいい問題

いちばん最後にするべき問題
　　▶試験ではこの問題を最後に解くべき！

---

② 解けてうれしい問題

ラッキーだったので次も解けるように対策したい問題
　　▶試験ではラッキーで正解してはダメ！

---

③ 惜しい問題

正解にできるように対策するべき問題
　　▶試験までには、正解できるように頑張るべき！

---

④ 解けて当然の問題

いちばん重要でケアレスミスしてはならない死守問題
　　▶試験では真っ先に解かなきゃダメ！

問題を解き、問題分析マトリクスで分析する

まず問題を解きます。その後、解いた問題を「**正解して、次も解ける問題**」「**不正解だったけど次は解ける問題**」「**正解できたけど、次は解けるか怪しい問題**」「**不正解で、次に解けるかどうかがわからない問題**」の４つに分類します。

どんなに難しい試験でも、「この問題だったら解けるかもしれない」「勉強して対策すれば、なんとかなる」というポイントを探して、４つに分類します。そのうえで、「不正解だったけど、次は解ける問題」「正解できたけど、次は解けるか怪しい問題」の２つをまずは重点的に勉強します。最終的には「不正解で、次に解けるかどうかがわからない問題」も対策しますが、なかには「捨て問」とよばれる多くの受験生が捨ててもいいくらいに難しい問題もあります。まずは「解けるはずの問題」で点数を取ることを意識しましょう。

「正解できたけど、次は解けるか怪しい問題」を対策する

これには最初に対応しなければなりません。ようするに「ラッキーで解けた問題」ですから、次はまちがえる可能性があるということです。次はラッキーではないようにするのです。

「不正解だったけど、次は解ける問題」を対策する

次に、「対策方法が見えた問題」を演習します。たいていの場合、問題に慣れていないから解けないだけで、何度も解くうちに見えてくるものもあります。「やれば上がる」を信じてがんばりましょう。

「不正解で、次に解けるかどうかがわからない問題」を対策する

　この場合の対策については、「部分点を取りにいく」のがセオリーになります。いかにその問題から点を取るかということを考えるのです。選択肢問題だったら、選択肢の数を絞れるかもしれません。記述問題でも一部だけなら書けるかもしれません。

　英検や TOEIC® などでこれを実践すると、「自分は英語のなかでも、リーディングとリスニングとライティング、どれで点数を取るのか？」ということを意識できるようになります。たいていの人は、ライティングが「惜しい問題」になります。「ちょっとした部分でミスをしやすく、点数が引かれやすいが、対策すれば点数が上がりやすい」分野だからです。

• 『東大生が書いた英語試験の攻略本』
　あらゆる英語試験を「最速」で攻略する英語勉強本です。
　東大カルペ・ディエム（著）、大和書房

先に答えを見る勉強法

先に答えを見て解法のプロセスを想像する

📁 カテゴリー	試験対策の方法
⬠ パラメーター	とても即効性が高い
👥 タイプ	• 時間がなくて困っている人 • 悩む時間が長い人
# タグ	# 試験対策 # 先に答えを見てなにが悪い

（レーダーチャート：即効性／難易度（簡単さ）／長期記憶／続けやすさ／準備）

やり方

STEP1
まず最初に問題と同時に答えを見て、その答えの解説を熟読！

STEP2
その意味がわかって、
「同じような問題は解けるはず」
となったら、
次は同じような問題を探して、
自分で解く！

STEP3
解けなかったら STEP1 に戻り、
解けたら類似の問題を解いたり
次の問題に進む！

「先に答えを見てしまっていいの!?」と思った人もいるでしょう。それでいいんです。先に答えを見る勉強法では、**答えにたどり着くまでのプロセスを、答えから逆算します**。その問題が解かれるまでの思考のプロセスを、答えを書いている人になり切って想像する。これこそが、「先に答えを見る勉強法」です。

　先に答えを見てしまうことに罪悪感を抱く人もいるでしょう。しかし、「この問題には答えがあるということは、自分以外の人は解けている。つまり、その解き方はすでに発見済みだ」と。すでに発見されている解法を、自力で再発見することにさほど意味はありません。自力でたどり着いたことは素晴らしいでしょうが、かける時間は少ないほうがいい。だったら、いくら考えてもわからない問題は、解法を見てから思考のプロセスを逆算して、その思考法を頭に取り込んでしまうのです。

1	解説を読んでも意味がわからないようなら、戻って基礎からやり直す必要がある
2	解説を読み込むときに、「次に同じ問題が出たら解けるようにならなきゃ」と試行錯誤するのが重要

まずは問題に向き合う

　先に答えを見るといっても、問題を解き始めてすぐに答えを見てはいけません。**まず3分間はノーヒントで解きましょう。**まったくわからなくても、答えを見てはいけません。試験本番で必要な、問題にかじりついてでも解き方の糸口を見つける力を鍛えるためです。

　また、この3分間に、どこまで解けたかをメモしましょう。考えた内容はすべてメモします。「座標平面に置いてみる？」「この it は形式主語？」など、すべてです。

答えを見る際のポイント

　3分経ったら答えを見ます。答えの1行1行を正確に読み込みます。すべての行で、なぜそのような操作や考え方をするのか、すべて説明できるようにする必要があります。次にその問題に出合ったときには、確実にその問題が解けるようにするのです。

　もちろん、実際はどんな問題も一度で解けるようにはなりません。つまり、それくらいの覚悟で答えを読み込む必要があるということです。ただ答えを読んで、わかった気でいると、いつまで経っても成績は上がりません。「先に答えを見る勉強法」は、覚悟が必要です。二度と同じまちがいをくり返さないように、一度ですべてを理解しようという意気込みで臨んでほしいのです。

　ある程度学習が進めば、対応できる問題の数も増えます。そうすれば、初見の問題でも3分以内で解けるようになるかもしれません。

　3分以内で考える瞬発力がついてくれば、問題を解く際にも役に立ちます。3分以内に答えへの道筋が見えたなら、少し時間を延ば

して書けるところまで書くのも一つの方法です。あくまで「3分」は手が動かせない想定で考えてください。そして、手が動かせたなら時間を気にせず、一気に解き切ってしまいましょう。

 やってみた！

数学の問題でこの「先に答えを見る勉強法」を実践していた人が多いです。悩んでも答えが出ない場合、悩んでいる時間が無駄になりがちだからです。また、英語や外国語の勉強をしているときに、逐一自分で訳そうとせず、日本語訳を横に置いて、内容を先に理解して勉強していくという方法を実践していた人もいました。和訳文を見て、どんなふうに訳されているのか、なぜそういう訳になるのかを考えることも、勉強になります。

おすすめの 本

• 『東大超速集中力』
東大生をはじめとする「集中力が持続する人」の秘密を解き明かし、学生から社会人まで、在宅でも集中力を持続できる一生役立つ一冊。
西岡壱誠（著）、大和書房

合格点勉強法

合格点を意識してどこに時間をかけるかを見つけ出す勉強法

カテゴリー	試験対策の方法
パラメーター	コツをつかめば効果が高い方法です
タイプ	• 試験を受ける前 • 時間がなくて困っている人
タグ	# 試験対策 #理想と現実のギャップを埋める

（レーダーチャート）即効性／難易度（簡単さ）／長期記憶／続けやすさ／準備

やり方

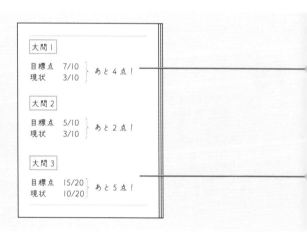

大問 1		
目標点	7/10	あと 4 点！
現状	3/10	

大問 2		
目標点	5/10	あと 2 点！
現状	3/10	

大問 3		
目標点	15/20	あと 5 点！
現状	10/20	

合格点勉強法は、目標点を決めたうえでテストをして、どれくらいのギャップがあるのか、どこで点数を取ればそのギャップが埋められるのかを意識して勉強するというものです。

たとえば、テストが40点で、80点取らなければならないのなら、あとの40点分をどこで点を取るのか？　どういうポイントでどんなことをすればその40点は埋められるのか？　と考えることで、自分がやるべき勉強を構築していくものです。過去問を解いて勉強してもいいですし、単語テストのような暗記系でも有効です。たとえば単語のテストをして、「8割は覚えていたかったけど、7割しか答えられなかった。あと1割、覚えていたはずだったもの、惜しかったものはなんだろう？」と考えるのです。

1 目標点と現状の点数を照らし合わせて、その点数ギャップを書いていく

2 目標点との点数ギャップが大きい大問を探し、対策する

めざすべき点数とのギャップをはかる

まず、問題を用意して、理想とする点数を決めます。満点がどうしても必要ならそれでもいいですが、8割などでよいでしょう。

そして問題を解き、採点して何点くらいギャップがあったのか、点数の差をしっかり意識します。そのあいだにあるギャップはどういうものなのか、どれくらいの開きがあるのかを意識し、そのギャップを埋めるために必要なことはなにかを考えます。たとえば、「この問題が解けていれば、10点プラスでギャップは埋められた」といった具合です。

ギャップを埋める方法

合格点勉強法のいいところは、「できなかったところ」ではなく「できておいたほうがよかったところ」を意識できることです。

ギャップを埋めるための努力にはさまざまあります。たとえば、30点から目標の60点に、あと30点増やしたいときに、取れなかった100点満点中70点分から30点をどうやって増やすかは選べるはずです。100点をめざす人は多くはないでしょうから、「選んで努力」することができるはずです。その場合、自分がやりやすいところ、対策としてできるところを考えておくと前に進みやすくなります。

実際、100点満点を取らなければならないシチュエーションはそれほど多くありません。ただ、テストを受けたあとは「どの問題もできなければならなかった」という気分になりがちです。できなかった問題に優先順位をつけ、「これができていれば目標を達成で

きた」というポイントをあぶり出すことができます。192 ページの戦略思考勉強法ともセットで実践すれば、結果が出るようになります。

試験が近づいてきたら、この合格点勉強法を起点にして勉強を進めるのをぜひおすすめします。過去問を解き、目標点と照らし合わせて、そのギャップを埋めるための努力をくり返して行います。すると、少し目標に近づきます。前に進んでいる感覚を得られるので、この勉強法はかなり有効だといえます。

- 『東大生の考え型』
  さまざまなフレームワークがまとまっています。
  永田耕作（著）、日本能率協会マネジメントセンター

戦略思考勉強法

現状と理想を書き出して、
そのギャップを埋める方法を考える勉強法

■ カテゴリー	試験対策の方法
● パラメーター	難しいけれど、効果が高い方法です
👥 タイプ	・やるべきことが思いつかない人 ・勉強しても成績が上がっていると感じられない人 ・短期的に結果が欲しい人
# タグ	#試験対策 #理想と現実のギャップを埋める

やり方

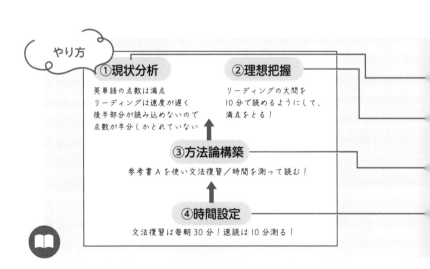

①現状分析

英単語の点数は満点
リーディングは速度が遅く
後半部分が読み込めないので
点数が半分しかとれていない

②理想把握

リーディングの大問を
10分で読めるようにして、
満点をとる!

③方法論構築

参考書Aを使い文法復習／時間を測って読む!

④時間設定

文法復習は毎朝30分!速読は10分測る!

戦略思考勉強法は、**現状と理想を書き出して、そのギャップを埋める方法を考える勉強法**です。先ほどの合格点勉強法でも実践しましたが、いまの立ち位置を把握し、そのあいだを埋める勉強をします。テストであれば点数を把握し、そのあいだを埋める。同じように、特定の分野がどれくらいできているのか、問題を解いて確認して、「ここはできていない」「ここはできている」ということを分析するのです。そして、できていない部分に絞って勉強していくのです。まずは総復習テストをして、その結果できていないところを浮き彫りにして、その勉強を整理していく、という流れですね。これを実践することで、勉強が効率化して、結果が出るようになります。

1 自分の現在地を具体的に把握する

2 理想の状態を数字を用いて具体化する

3 現状と理想のギャップを埋める方法を考える

4 やることの量や時間を明確に決める

本当に「やるべきこと」はなにか

　この戦略思考勉強法において重要なのは、本当に「やるべきこと」を考えることです。見当はずれの努力をしていてはうまくいきません。最終的な目標点を達成することが求められているのです。そのため、「なんのためにやるのか」を明確にして、やるべきこととやらなくてもいいことをふるいにかけるのがこの勉強法なのです。ですから、「どこであと何点取るのか」ということを意識することで、「このテストで点数をあと5点上げるために勉強しよう」と目的が明確になるのです。

やることは具体的に

　この戦略思考勉強法の特徴は現状と理想のあいだのギャップをどう埋めるかを考えることにあります。もし、この本を読んでいるみなさんが「結果が出ない」と悩んでいるのであれば、自分で考えている「現状」の認識がずれている可能性が高いのです。

　そして方法論を考える際に重要なのは、**できるだけ「やること」を具体的に書く**ことです。「英語の点数を20点上げたいから、英単語を覚える」ではダメです。「英単語を、いくつ、どれくらいの時間をかけてやるのか」を明確にしてください。

　また、きちんと「実践して点数につながりそうな勉強」がいいでしょう。たとえば、「単語帳を読む」だけでは抽象的ですから、「単語を覚えるために毎日何分単語帳を見る」や、「毎日テストをして覚えてない単語の数を減らしていく」など、そういった具体的な勉強スタイルがおすすめです。

やってみた！

東大生は、模試や過去問、テストを解いたあとには必ずこの戦略思考勉強法を実践していました。目標点数を決めて、そのあいだのギャップを認識する勉強をずっとしていたのです。理論上、この勉強法を続ければ、絶対にどんな大学にも合格できますし、どんな資格試験でも突破できます。なぜなら、ギャップを自覚してそのあいだを埋めていけば、必ずギャップは小さくなるからです。時間はかかるかもしれませんが、この方法を試せば必ず目的地に到達できるのです。

おすすめの本

・『東大式目標達成思考』
　ずば抜けた才能がなくても大丈夫だとして、努力のしかたで目標が達成できる方法がまとまっています。
　相生昌悟（著）、日本能率協会マネジメントセンター

避難訓練勉強法

本番力を鍛える勉強法

カテゴリー	試験対策の方法
パラメーター	難易度が高く準備も大変ですが、即効性のある方法です
タイプ	・試験を受ける前 ・緊張して本番でミスが多い人
タグ	# 本番力を鍛える # ケアレスミスを防ぐ # もう焦らない

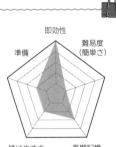

即効性 / 難易度（簡単さ）/ 準備 / 続けやすさ / 長期記憶

やり方

STEP1

過去問やテストを、一度、
制限時間を大幅に減らして解く

STEP2

その制限時間内で
最大限点数が取れるように、
多くの工夫をする

STEP3

その工夫を、
実際にフルで時間があって
試験を受けるときにも活かす

避難訓練勉強法は、「避難訓練」の言葉どおり、**本番で不測の事態が起こったときのことを想定して問題を解く**勉強法です。たとえば、制限時間の半分の時間で問題を解いてみたり、周りがうるさい環境でテストをしてみて、どれくらい実力が発揮できるかをみるなど、緊急事態への対策を考えるというものです。この勉強法を実践することで、本番に強くなる「本番力」ともいうべき力が身につくメリットがあります。

1　60分の制限時間を半分にして、30分で解くなど、とても解ききれないくらい削る

2　制限時間が半分でも、点数が半分になるとは限らない

具体的な方法

過去問や本試験で出る可能性のある問題などを用意して、練習します。具体的な方法は、以下の2つです。

①**時間的制限をつける**：制限時間の2分の1、または3分の2の時間で過去問を解く。

②**環境に負荷をかける**：暑いところや寒いところ、周りがうるさいところなど、テストには向いていない環境で過去問を解く。

制限時間が2分の1だからといっても、点数が半分になることはないでしょう。時間がないなりに工夫して、70％くらいの点数が取れるかもしれません。最初のうちは思ったほど点が取れないかもしれませんが、制限時間が短いなら短いなりの戦い方があり、何度も実践すれば身につくようになります。

本試験では練習のときの8割くらいの実力しか発揮できないものです。「あんなに練習でがんばったのに、本番では焦って全然できなかった」などということも多いです。だからこそ、不測の事態が起こっても、9割くらいは実力が出せるように避難訓練勉強法で練習をするのです。不測の事態のための準備をして、制限時間が足りなくなったときや、試験環境が悪いときを体感しておくわけです。まさに、避難訓練です。

終わったら教訓を考える

避難訓練が終わったら、その教訓をしっかりと考えましょう。

• 試験開始から30分が過ぎたら、どんな状況でも残った問題は飛ばして別の大問を解く。

- 5分以上手が止まったら、解けそうな気がしても次の問題に進む。
- 試験終了10分前には新しい問題を解くのはやめて見直しをする。
  そしてあまった時間を残りの問題にあてる。
- どんな状況でも、焦らずに地道に問題を解く姿勢を忘れない。
  このように、教訓をメモしておきましょう。

✏️ やってみた！

実際に半分の時間でやってみると、焦っていままででは考えられなかったミスをすることがあります。でも、そのミスは本番で焦ったときにやってしまう可能性が高いものです。本番は緊張して、練習とは全然違う精神状態になるからです。避難訓練勉強法を実践した東大生は、「この訓練でマークミスをしてしまって、本番でもマークミスを警戒するようになった」という人もいました。

おすすめの本

- 『読むだけで点数が上がる！　東大生が教えるずるいテスト術』
  入試や資格試験に使える東大式テストの裏ワザが一冊に集約されています。
  西岡壱誠（著）、ダイヤモンド社

制限時間勉強法

時間を制限することで緊張感を持たせる勉強法

■ カテゴリー	試験対策の方法
◆ パラメーター	難易度は高いですが、効果が実感しやすい方法です
👥 タイプ	• 目標を立てて勉強している最中の人 • 効率的に結果を出したい人
# タグ	# 問題ごとに時間を決める # 本番力を鍛える

レーダーチャート: 即効性、難易度（簡単さ）、長期記憶、続けやすさ、準備

やり方

```
試験時間　1:30

大問 1
目標時間　　0:05
かかった時間　0:08

大問 2
目標時間　　0:12
かかった時間　0:11

大問 3
目標時間　　0:10
かかった時間　0:13
```

制限時間勉強法は、時間を区切ることで効率化をはかる勉強法です。みなさんは「ラップタイム」という言葉をご存じでしょうか？　レースなどで使われますが、コースを1周するのにかかった時間のことです。

ラップタイムを計ることは意外なほど役立ちます。たとえば、1周目は30秒でまわれたのが、3周目には45秒かかったとしましょう。合計タイムでは見えなかった「30秒でまわれるコースを、15秒もプラスして走っている」事実がわかりましたね。すると、次に「どうして15秒もプラスされたのだろう」と考えるはずです。制限時間勉強法で時間を区切ってラップタイムを得ることで、自分の気づかなかった弱点に気づくことができるのです。

この勉強法は過去問を解く際に有効です。いくつかの大問があるとき、**それぞれの問題に設定した制限時間内で解く**のです。

1	制限時間をつくる

2	時間内に終わらせようと意識して解く

制限時間を設ける

はじめに、それぞれの問題に対して制限時間を設けます。たとえば、大問5つで60分の試験時間があったとき、大問1つあたり12分と考えるかもしれません。しかし、それは大きなまちがいです。理由は2つあります。

1つめは、見直しの時間がとられていないことです。60分の試験を60分で解いては、見直しの余裕がありません。マークミスや記述ミスをしていても、それに気づくチャンスがありません。ケアレスミスがいちばんもったいないので、基本的には、見直しの時間は設けるべきです。5〜10分程度は取っておくといいでしょう。

2つ目は、大問ごとに得意不得意があることです。たとえば、和文英訳は得意でも、英文法は苦手とか、図形と方程式は得意でも、数列や整数が苦手とか、人によって違いがあります。得意な問題なら設定した制限時間よりも早く解けるでしょうし、不得意ならより多く時間をかける必要があるでしょう。

そのため、制限時間を設ける際には、**①10分程度あまらせる、②大問ごとに自分の得意不得意に応じて制限時間に差をつける**、の2点に注意しましょう。

問題を解く

制限時間を設けたら、解き始めます。どうしても時間内に解けないようなら、時間配分をまちがえたのかもしれません。逆に、早く解き終わってしまうなら、その分の時間をほかの問題にまわしてもいいでしょう。

多くの東大生がこの制限時間勉強法を活用しています。東大の二次試験はすべて100分ほど時間があり、この勉強法なしでは時間をコントロールできないからです。顕著なのが英語の試験。問題の数に対して120分と試験時間が短いので、やみくもに解き進めては時間が無くなってしまいます。ですから、私を含め多くの東大生はどの大問でどれくらいの時間を使うのか、オリジナルの時間計画表をつくっています。本番を意識するなら、確実に押さえておくべき勉強法です。

• 『東大式時間術』
「無駄を省く」「効率を上げる」「やる気を出す」という3種類の努力のコツがわかります。
布施川天馬（著）、扶桑社

自作ひっかけ問題

作問者の立場に立って「ひっかけ問題」を考える

カテゴリー	試験対策の方法	
パラメーター	問題をつくるのは大変ですが、多くの効果がある方法です	
タイプ	• スペルの似ている英単語に混乱する人 • 「ひっかけ問題」にひっかかる人 • 相手の裏をかくのが好きな人	
タグ	# 作問の意図を知る # 自分で問題をつくる # ケアレスミスを防ぐ	

レーダーチャート: 即効性、難易度(簡単さ)、長期記憶、続けやすさ、準備

ノートの場合

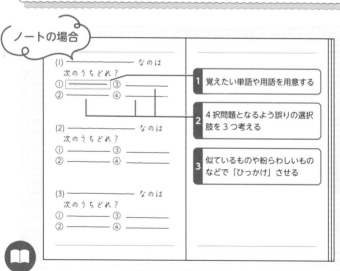

(1) ———— なのは
次のうちどれ？
① ———— ③
② ———— ④

1 覚えたい単語や用語を用意する

(2) ———— なのは
次のうちどれ？
① ———— ③ ————
② ———— ④ ————

2 4択問題となるよう誤りの選択肢を3つ考える

(3) ———— なのは
次のうちどれ？
① ———— ③ ————
② ———— ④ ————

3 似ているものや紛らわしいものなどで「ひっかけ」させる

勉強をしていると、似ていて紛らわしいなと思う単語に出合うことがあります。「bear（熊）」と「bare（裸）」のようにスペルの似た単語や、フランス国王の「ルイ13世」と「ルイ14世」のように名前の似た人物も登場します。このような紛らわしい選択肢を提示して誤答を誘うのが、「ひっかけ問題」です。

　「ひっかけ問題」にひっかからないようにするためには、**「ひっかけ問題」のしくみを知り、同時に自分のひっかかりやすいところを知ることが大切**です。自分で「ひっかけ問題」をつくることで、作問者はどういう意図でミスを狙っているのかがわかり、自分はどういうところを紛らわしく感じているのかを知ることができるのです。

具体例

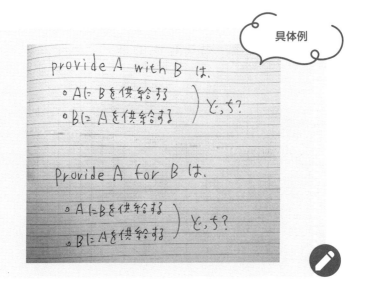

具体的な方法

　覚えたい言葉があるとしましょう。英単語でも歴史上の人物でもかまいません。覚えたい言葉が見つかったら、まずその言葉が答えになる問題を用意します。問題集で探してもいいし、自分でつくってもかまいません。自分が過去にまちがえた問題でもいいでしょう。

　問題が用意できたら、それを4択問題となるように、正解ではない選択肢を3つ考えます。このとき、解く人がまちがって選んでしまいそうな選択肢を考えましょう。スペルの似ている英単語、名前の似ている人物、同じ国でも違う時代の国王など、紛らわしい選択肢がいいでしょう。問題文がほんの少し違っていればこちらが正解なのに、というパターンもあるかもしれません。工夫を凝らし、意地の悪い「ひっかけ問題」をつくりましょう。

　慣れるまでは作問するのは難しいですが、「音の響きが似ている」「似たような意味だ」など、単純なものでかまいません。たとえば、「visitor（訪問者）」を答えにして、意味が似ている「customer（お店の客）」や「passenger（乗客）」、もしくはスペルが似ている「viewer（視聴者）」や「visor（覆面）」なども選択肢にしてもいいかもしれません。慣れてくると選択肢の候補をたくさん思いつくようになります。

つくった問題を活用しよう

　せっかくつくった「ひっかけ問題」ですから、友人に出してみて、見事にひっかかってくれたら愉快ですね。また、自作の「ひっかけ問題」をどこかにしまっておいて、忘れたころに自分で解いてみて、

ひっかかってしまうかもしれません。

「だれだ、こんな意地悪な問題をつくったヤツは！……あ、自分だ」とならないように、定期的に見直して復習しましょう。

やってみた！

70ページのタイムカプセル暗記ゲームと併用しながら、自分がどんなところでミスしやすいかを考えて作問したという人がいました。テストの分析をしたあとで、「こういうひっかけをこの試験ではしてくるはずだ」という要素を抽出して作問するのもおすすめです。

おすすめの本

• 『ずるい勉強法』
短い時間でラクをしながら最大の結果を得る方法が詰まっています。
佐藤大和（著）、ダイヤモンド社

テクニック集

最後に具体的なテクニックについて紹介します。ここまで読み進められたなら、きっと、いまの自分にあった方法が見つかるはずです。

---

p.210

音読勉強法

耳から音で覚える勉強法

(#目よりも耳から)

(#五感を活用する)

(#語学に有効)

---

p.214

シャドーイング

影のように英語についていく

(#リスニングを鍛える)

(#語学に有効)

---

p.218

瞬間英作文

日本語の文章を瞬時に英訳する

(#語学に有効)

(#語彙力を鍛える)

(#瞬発系)

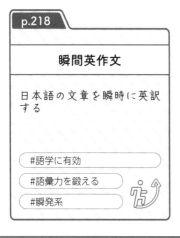

---

p.222

単語帳グレードアップ

自分だけの「完璧な単語帳」をつくろう

(#カスタマイズしよう)

(#書いていて楽しい)

(#情報整理術)

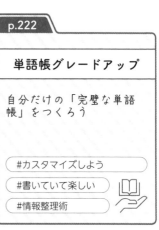

見つける！

具体的な方法 ▼　　テクニック ▼

語学 ▼　　英語試験 ▼

p.226

1段落だけ展開予想法

最初の1段落だけを読んで話の流れを予想する

(#論理的思考力を鍛える)
(#長い文章が苦手)

p.230

要約読み

「一言で説明すると？」千本ノック

(#情報に優先順位をつける)
(#読書術)

p.234

勉強マジカルバナナ

自問自答して言葉をつなげる連想法

(#連想ゲーム)
(#すきま時間)
(#楽しみながら覚える)

音読勉強法

耳から音で覚える勉強法

■ カテゴリー	テクニック集
● パラメーター	慣れれば即効性も高く、記憶にもつながります
🐜 タイプ	• 英語・外国語の勉強をしている人 • 音や語呂あわせのほうが結果が出る人
# タグ	# 目よりも耳から # 五感を活用する # 語学に有効

即効性
難易度（簡単さ）
準備
続けやすさ
長期記憶

やり方

I think ……
I would ……
The day ……

I think ……

I think ……

音読勉強法は、**文章を音読して勉強する**ものです。実際に目で見ながら声に出して文章を読むことで、□を使うのと同時に、自分の声を耳で聞くことにつながるので、目と□と耳の３つの感覚器官を使うことになります。また、目よりも耳から入ったほうが記憶しやすいという人にも向いています。

　さらに、実際に□に出して発音することは、人間の脳にとっていい効果があるといいます。気持ちが落ち着き、自律神経が整い、メンタル面にもいい影響をもたらすのでしょう。

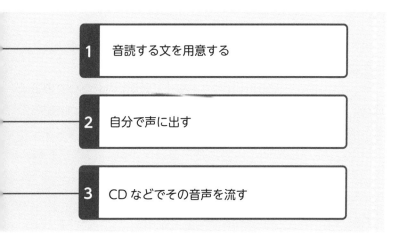

1 音読する文を用意する

2 自分で声に出す

3 CD などでその音声を流す

英語の文章の場合

英語の文章の場合は、音読する前に「正しい発音」を知っておく必要があります。ネイティブがその文章をどう発音するのか確認しましょう。また、音源がある素材を選ぶとよいでしょう。そして、214ページの「シャドーイング」でも紹介しますが、お手本を後追いするように文章を読むとかなり効果があります。ただ目で読むだけでは、イントネーションは身につきません。これを獲得するには音読しかありません。さらに、リスニング力も身につきます。**自分が発音できないものは聞き取れない**というのは英語学習の真理です。

ただし、この方法を実践する場合、イントネーションがまちがっていると、まちがったイントネーションで覚えてしまうことになってしまうので、ほかの人に聞いてもらってから実践するようにしましょう。

日本語の文章の場合

日本語の文章をあえて声に出して読むことで、テンポが意識され、上手に音節を区切って読めるようになります。

たとえば、「彼らは気が気ではなくなってしまったので彼女のことをすっかり頭から消去してしまった」という文があるとします。あまり本を読み慣れていない場合には、「彼らは気が、気ではなくなって、しまったので」と、不自然なところで区切って読みます。そうすると意味も取れず、何度も読み直すことになり、そのうち本を読むのが嫌になってしまうのです。テンポよく音読する習慣がつくと、音読しないときの読解スピードも格段に早くなります。日本

語の音読にはこのように、文を読むスピードを上げるというメリットがあります。

　慣れてきたら、**自分で話した音声を録音し、自分で聞くということもおすすめ**です。

やってみた！

この勉強法を東大生が実践する際には、すきま時間を活用していました。歩きながらぶつぶつしゃべっていて周りから引かれたという東大生もいるくらいです。普段から何度もくり返して音読することで、言語の習得が早くなるというわけですね。

とはいえ、音読を実践するのはなかなか勇気がいります。周りを気にしているとあまり大きな声が出せないので、カラオケルームや自室などの周りに人がいないところで実践するのもいいでしょう。

• 『１日１分で自律神経が整う　おとなの音読』
音読をするのが小学校以来の人も多いのではないでしょうか。この本では音読の方法や効果が紹介されています。
小林弘幸（著）、ソフトバンククリエイティブ

シャドーイング

影のように英語についていく

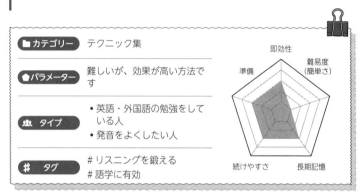

📁 **カテゴリー**	テクニック集
🔶 **パラメーター**	難しいが、効果が高い方法です
👥 **タイプ**	• 英語・外国語の勉強をしている人 • 発音をよくしたい人
# **タグ**	# リスニングを鍛える # 語学に有効

レーダーチャート：即効性、難易度（簡単さ）、長期記憶、続けやすさ、準備

やり方

A lot of people think that ……
……………………………………
……………………………………

A lot of people think that ………………
……………………………………
……………………………………

シャドーイングは、リスニングで効果が見込める学習方法です。方法は簡単で、**読み上げられた文章を間髪入れずに音読していく**だけ。それだけですが、それを実行するには膨大な労力、もしくは学習量が必要です。

　ウソだろうと思った方は、ぜひ一度試してみてください。簡単な英語ですら、ついていくのは一苦労でしょう。これができるようになれば、しっかり英語を聞けていると考えていいくらいです。シャドーイングに必要な能力は、発音を正確に聞き取るリスニング力だけではありません。ただ聞いていることをくり返すだけでは限界があるので、いま発音されている単語の次に発音される単語を予想する必要があります。予想できれば、ある程度聞き逃しても、想像で補いながら読み進めることができます。

1	ちょっと遅れて、続けて話す

2	同時に話せるまで何度もくり返す

ステップ1　スクリプトを音読する

　いきなりシャドーイングを行うのではなく、音声に関係なくスクリプトを読むところから始めましょう。その際、しっかりすべての文章の意味がわかっているか、文法的に分解できるかを意識します。

ステップ2　文章ごと、段落ごとに分けて シャドーイングする

　内容を把握できたら、文章ごと、もしくは段落ごとに分けてシャドーイングに移ります。最初はできないかもしれませんが、何度もやっているうちにだんだんと読めるようになっていくはずです。ひとつの文章や段落が2回つかえずに読めるようになったら、次の文章や段落に移りましょう。

ステップ3　全体をシャドーイングする

　段落ごとにシャドーイングができたら、文章全体をシャドーイングしましょう。英語をつかえずに読み切ることも大事ですが、それ以上に、英文の意味を理解しながら読めているかが重要です。自分が発声している内容がどんな意味なのか把握し、自分の言葉にしつつ読み進めましょう。

ある程度学習が進んだら

初見の文章でいきなりシャドーイングを試みてもいいかもしれま

せん。その場合も、はじめから難易度の高い文章に挑戦するのではなく、簡単な会話劇などから始めるといいでしょう。相手の話していることをオウム返しするにはそれなりの経験が必要です。焦らずじっくりと取り組んでいきましょう。

 やってみた！

英語で重要なのは、強弱やイントネーションです。東大生のなかには、シャドーイングしながら、「あ、いまここの部分は強く発音したんだな」という感覚をしっかり持って勉強することで、リスニング力も上がったという人もいました。

おすすめの本

• 『すごい英語音読』
スピーキング力とリスニング力が身につく英語音読ドリルです。
牧野智一（著）、ソフトバンククリエイティブ

瞬間英作文

日本語の文章を瞬時に英訳する

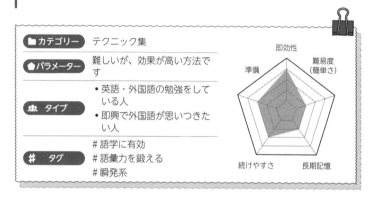

📁 カテゴリー	テクニック集
🏠 パラメーター	難しいが、効果が高い方法です
👥 タイプ	• 英語・外国語の勉強をしている人 • 即興で外国語が思いつきたい人
# タグ	#語学に有効 #語彙力を鍛える #瞬発系

(レーダーチャート: 即効性、難易度（簡単さ）、長期記憶、続けやすさ、準備)

やり方

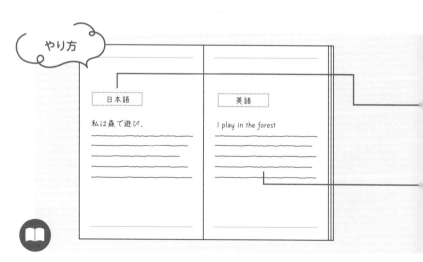

日本語	英語
私は森で遊び、	I play in the forest

瞬間英作文の実践は簡単です。**出てきた日本語の単語や文章を、瞬時に英訳する**だけですから。ただし、逐語訳ではいけません。こなれた訳が出てくるようにしたい。理想的には、逐語訳からこなれた訳まで、さまざまな訳し方が出てくるようになるといいでしょう。

　なるべく短い時間で、多くのパターンを想定する。これは、和文英訳や自由英作文の際に役立ちます。一対一の対応で逐語訳のようにそれぞれの訳文を覚えるのも、たしかに有効です。しかし、一つしか訳し方が思い浮かばないようでは、ときに身動きが取れなくなってしまいます。優れた参謀は、さまざまな状況を想定して、フレキシブルな作戦行動を立案します。英作文においても、さまざまな状況に対応できるように、普段から言い換え方を勉強しておきましょう。

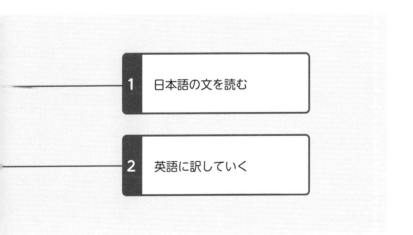

具体的な方法

　先生にいわれたことや、電車に乗っているときに見かけた看板、スマホに流れてくる広告の文言などを英訳しましょう。このとき、なるべく多くのパターンでいえるようになるといいですね。たとえば、次の内容を英訳してみましょう。あなたはどのように表現しますか？

　「どうしても作文をやりたくない」

　なるべく一瞬で英文が浮かぶようにしてください。"don't want to〜"がまず思い浮かぶでしょう。"hesitate to〜"を思いつくかもしれませんが、hesitateは「（確信が持てずに）ためらう」の意味なので、ここではふさわしくないかもしれません。

　コツは、**日本語の文章の言い換えパターンを複数想定する**ことです。先ほどの文章でいえば、むしろ「作文が嫌いだ」と読み替えられるかもしれません。それなら、"I hate writing."の3語で同じ意味を表せます。

　いろいろなパターンを想定するといいでしょう。一人だけでやるのではなく、友人を誘って、自分では思いつかないパターンを検討してもいいかもしれません。大人数でわいわいと瞬間英作文大会などしているうちに、英語力がめきめきとついてくるかもしれません。

ある程度慣れてきたら

　ある程度英作文に慣れてきたら、逆に英文を日本語の文章に直すなども試していいかもしれません。それぞれの言葉が持つ特徴や、表し方の傾向などを分析することで見えてくるものがあります。理

想としては、英語でも日本語でも、変わらずに意味を表し、理解できること。どちらの言語も使いこなせるように、さまざまな言い回しを学習しておきましょう。

瞬間英作文は、英語に慣れ親しむという点でとても有効な手段だと考えられます。毎日1回のペースで1カ月間この練習をしていた東大生は、英語にグッと慣れることができたと話していました。あまり英語が得意でない人ほど、ぜひやってみましょう！

・『英語上達完全マップ』
瞬間英作文をはじめとした英語が上達するための方法がまとまっています。
森沢洋介（著）、ベレ出版

単語帳グレードアップ

自分だけの「完璧な単語帳」をつくろう

■ カテゴリー	テクニック集
◆ パラメーター	手間はかかりますが、楽しみながら効果を発揮する方法です
炎 タイプ	• 英単語を覚えるのが苦手な人 • 自分にあった単語帳がないと感じる人
# タグ	# カスタマイズしよう # 書いていて楽しい # 情報整理術

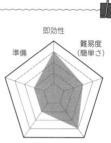

（レーダーチャート：即効性、難易度（簡単さ）、長期記憶、続けやすさ、準備）

ノートの場合

STEP1

覚えているものとそうでないものに分類する

→ 1 鉛筆やシャーペンで書いておくとあとで書き直せる

STEP2

「覚える必要がある関連情報」を書き込む

→ 2 類義語、反対語、派生語などをほかの教材や辞書などで調べて追加する

STEP3

「覚えやすくするための情報」を書き込む

→ 3 語呂あわせやイラスト、例文などなんでも OK

英語の勉強をしようと思って書店に行き、英単語帳のコーナーを見てみると、あまりの種類の多さにきっと驚くでしょう。多種多様な英単語帳があり、内容がそれぞれ異なるので、自分にあった覚えやすい単語帳を見つけるだけでも一苦労です。

　もし「すべての情報が載っている完璧な単語帳」があったとして、かえって情報量が多すぎてなにが重要なのかを見失ってしまうかもしれません。あなたが覚えていない英単語や苦手な英単語にだけ詳細な説明が書いてあって、もう暗記している英単語の説明は程よく省かれている、そんな都合のいい英単語帳はどこにもありません。

　ならば、**自分にとっての「完璧な単語帳」は、自分でつくるしかない**のです。ここでは、市販の単語帳をもとに自分だけの「完璧な単語帳」をつくる方法を紹介します。

具体例

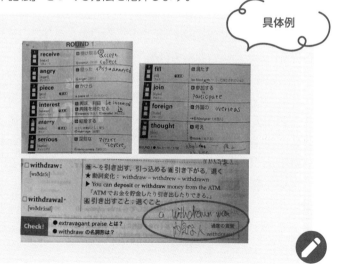

具体的な方法

まず、市販の単語帳を1冊用意します。単語帳を読み進めながら、もう暗記している単語には○、暗記できていない単語には×、微妙な単語には△のマークをつけます。あとから「この単語はもう覚えたぞ！」となったり、「覚えていたつもりだけど、意外と忘れてるな……」となってマークを変えることもあるので、鉛筆やシャーペンなど、あとから書き直せるようなもので書きましょう。

△と×の単語を中心に、類義語、反対語、派生語、その他の **「覚える必要がある関連情報」** を辞書などで調べて、単語帳に直接書き込みます。まだ単語帳に書かれていない情報を書き込んで、単語帳の情報量を増やしましょう。

新しい情報を書き込んだら、今度はその新しい情報を **「覚えやすくするための」** 情報を書き込みましょう。語呂あわせ、イラスト、例文、なんでも結構です。

以上のことをすべての単語について行うと、あなたの単語帳は市販のものよりもはるかに情報量が増え、グレードアップした状態になっているはずです。世界に一つだけの単語帳ができ上がります。

グレードアップしたあとも、問題を解いたりほかの単語帳や参考書を読んだりして新しい情報に出合ったら、その都度書き足しましょう。「自分だけの単語帳」は活用してこそ輝くので、勉強する際は手元に置き、新たな情報に更新して役立てましょう。

情報を書き込むことに慣れると、自分なりの「書き込むべき情報」が見えてきます。「この単語、スペルが似ているからよくまちがえるんだな」「リスニングで聞きまちがえた単語だ」など、自身の経験を反映させることで単語帳はどんどん育ちます。

重要なのは、自分で情報を書き込む作業そのものが、単語を覚えることにつながる点です。ただぼんやり眺めているだけで単語を暗記することはできません。単語を辞書で調べて、類義語や反対語を自分で書き込む。こうした能動的な作業こそ、暗記への近道なのです。また、この方法は英語の単語帳だけでなく、用語集や論点がまとまっている参考書でも有効です。

 やってみた！

1冊の完璧な参考書をつくり上げるために、複数の参考書を用意して実践している人が多くいました。定番とよばれるような参考書を選び、その参考書にほかの参考書の内容をどんどん書き込んでいくのです。ただ、書き足していくとスペースがなくなっていくので、余白がたくさんある参考書を選ぶこともおすすめです。

おすすめの 本

• 『カラー改訂版　世界一わかりやすい英語の勉強法』
「英語のプロ」が徹底的に研究した、一番効率よく結果を出せる学び方を解説しています。
関正夫（著）、KADOKAWA

1段落だけ展開予想法

最初の1段落だけを読んで話の流れを予想する

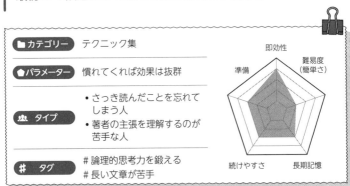

■カテゴリー	テクニック集
◆パラメーター	慣れてくれば効果は抜群
✖ タイプ	• さっき読んだことを忘れてしまう人 • 著者の主張を理解するのが苦手な人
# タグ	# 論理的思考力を鍛える # 長い文章が苦手

レーダーチャート:
即効性 / 難易度（簡単さ）/ 長期記憶 / 続けやすさ / 準備

やり方

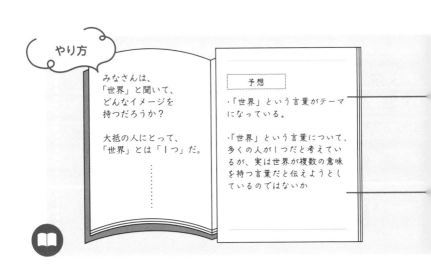

みなさんは、
「世界」と聞いて、
どんなイメージを
持つだろうか？

大抵の人にとって、
「世界」とは「1つ」だ。

予想

・「世界」という言葉がテーマになっている。

・「世界」という言葉について、多くの人が1つだと考えているが、実は世界が複数の意味を持つ言葉だと伝えようとしているのではないか

「長文読解」に苦しむ人は多いのではないでしょうか。長くて難しい文章は、読んでいるうちにさっきまでの話を忘れてしまったり、全部読んだけど著者がなにを伝えたかったのかつかめなかったりします。まず「正しく読む」ことから練習する必要があります。

　さて、長文のなかでいちばん重要な情報が書いてある段落はどこでしょうか。最後の段落は著者が自分の主張をまとめていることが多く、重要です。しかし、いきなり最後の段落を読んで理解するのは難しいのではないでしょうか。

　そこで、注目するのは「最初の段落」です。**著者と読者が最初に交わるこの段落で、著者は文章全体の方向性を提示していることが多い**のです。最初の段落の内容を手がかりに、文章全体の話の流れを予想するのがこの「１段落だけ展開予想法」です。

1 第１段落だけを見て、キーワードやテーマを確認する

2 キーワードやテーマを確認し、その話をとおしてどんなことを伝えたいのか、予想を立てる

具体的な方法

　まず、長文読解の問題を１問用意します。英語でも日本語でも行えます。用意ができたら、冒頭の第１段落をじっくり読みます。英語であれば最初のうちは辞書などを使ってもかまいませんので、内容をしっかり理解できるまで読み込みましょう。

　第１段落を読み終えたら、その内容をもとに第２段落以降の文章の展開を予想して、書き出しましょう。たとえば、第１段落が「現代人はカメラを当たり前に使うけれど、それは本当にいいことなのだろうか？」という内容だったとします。そうすると、続く段落では「現代人がカメラを使うこと」に対する批判が書かれていそうですね。著者がそう主張する根拠も述べられているかもしれません。１つに絞らなくていいので、いろいろな可能性に思いをめぐらせてみましょう。

　どうしても第１段落だけでは推論できない文章は、第２段落、第３段落と少しずつ読み進めていき、こういうことが書きたいのかな？とわかってきた時点で止めましょう。大切なのは、序盤の書き方から話の全体の流れを予想することなので、たくさん読んでしまっては意味がありません。

　予想が書けたら、実際の文章を最後まで読み、どのくらい予想と合致しているか確認します。先ほどのカメラの例であれば、予想どおり「現代人がカメラを使うこと」を昔の人と対比して批判しているかもしれませんし、「写真を見るのではなく、直接自分の目で見よう」とカメラではなく写真を批判しているのかもしれません。実際の文章がどのように展開されているのかを分析することで、今後の予想の精度も上がります。

予想を的中させるコツは、できる限り多くの可能性を想定することです。「1段落だけ展開予想法」を実践すれば文章の論理展開のパターンが身につきます。

　長文読解の文章を読むうえで、結論の思い込みは危険です。あくまで「予想」として、実際の文章の内容と照らし合わせながら読む、という意識を育てるのがこの勉強法です。

やってみた！

東大生が実際にこの勉強法を行う際は、国語の問題を使っていました。参考書からいくつかの問題を用意して、その問題のなかで「文章全体のテーマを選びなさい」「著者の主張として正しいものを選びなさい」というような文章全体の読解を求める選択問題を選んだそうです。その問題で、第1段落だけを読んで、文章全体の読解が求められる選択問題で正解できるかを確認するのです。

おすすめの 本

• 『ビジネスとしての東大受験』
予備校・進学校が独占してきた一般入試を攻略する裏ワザ、未だに攻略法が確立されていない推薦・AO入試の最新ノウハウなどが詰まっています。
黒田将臣（著）、星海社

要約読み

「一言で説明すると？」千本ノック

■ カテゴリー	テクニック集
◆ パラメーター	難易度は高いですが、効果の高い方法です
🚹 タイプ	・「要約問題」が苦手な人 ・文章理解が苦手な人 ・まわりくどい言い方をしてしまう人
# タグ	#情報に優先順位をつける #読書術

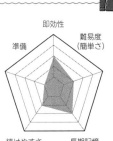

やり方

　みなさんは、「世界」と聞いて、どんなイメージを持つだろうか？大抵の人にとって、「世界」とは「1つ」だ。

　「世界は広い」と言う時、地球全体を指す言葉として使っているだろう。「世界地図」を広げる時、地球全体の地図を想像するはずだ。「この世界で唯一、こんな能力を持っている」と言う時、2つ以上の世界を想像している人はいないだろう。

　だが、実は「世界」という言葉は、一定の範囲の人間の営みのことを指すことがある。「勝負の世界」「医者の世界」のように、職業や専門分野を指して「世界」と言うのだ。

```
要約

世界は地球1つのものを指す言葉
というだけではなく、一定の範囲
の人間の営みを指すことがあり、
その定義で言えば、この世にはた
くさん世界がある。
```

東大をはじめとする難関大学の入試問題では、文章の要約や短い文字数での説明を求める問題がたくさん出題されます。このタイプの問題を苦手とする学生は多いですが、実は「要約力」はだれでも鍛えることができるのです。

　ここで紹介する「要約読み」は、文章を読んで要約する力を身につけるための読書術、つまり訓練です。要約の千本ノックだと考えてください。最初のうちは決められた文字数のなかで文章をつくるのを難しく感じるかもしれませんが、数をこなして慣れてくると、だんだんとコツがつかめるようになります。

　よい要約文をつくるために何度も元の文章を読み返すことになるので、文章自体の理解も深まります。日々の読書のなかで要約力を鍛えましょう。

1 短くテーマをまとめる。
キーメッセージを抜き出していくイメージ

2 要約だけを読んで、
大体話が理解できる状態をめざすのが定石

その節の内容をいちばん端的に表している一文を選ぶ

　まず、題材となる文章を用意します。どんなものでもかまいませんが、はじめは細かく章立てされて区切られている本がおすすめです。

　最初の1節を読んだら、そのなかで「この節の内容をいちばん端的に表している」と感じられる一文を選びます。選び方のコツとして、節の内容をよく表す文章が見つかりやすい箇所を3つ紹介します。

- **節の「最初」の文や「最後」の文**
- **否定の接続詞「しかし」「でも」のあとの文**
- **「〜なのではないだろうか？」と問いかける文**

節ごとに30字→章ごとに140字以内でまとめる

　次に、選んだ一文の内容を読み返して、30字以内で書き直しましょう。選んだ一文が30字以内のものであっても、自分の言葉で書き直します。その本を読んでいない人にも伝わるように、わかりやすい表現で書くように心がけてください。

　次の節でも同じ作業をします。節ごとに30字以内の要約文をつくり、それが1章分すべてできたら、「章全体のまとめ」を140字以内で書きましょう。140字というのはちょうどX（旧Twitter）で投稿できる文字数なので、投稿の入力画面で文字数を数え文章を作成することができます。1章分のまとめができたら、ほかの章についても同様に、30字以内で節ごとに要約し、その章のまとめを

140字以内で作成します。

　すべての章についてまとめができたら、「その本全体のまとめ」を140字以内で書きましょう。そうしてできた文が、その本の「要約」になります。段階に分けて何度もまとめの文をつくる練習をすることで、要約力を鍛えることができます。

「要約読み」を続けていると、「この内容は30字では表しきれない！」「この部分も重要そうなのに、省略して大丈夫か？」と思い悩む場面が増えるでしょう。しかし、それでいいのです。思い悩むことこそが「要約読み」の効能なのです。要約力とはつまり、情報に優先順位をつけて取捨選択する力です。「要約読み」によってこの力を鍛えることで、自分が話す場面でも端的に相手に情報を伝えることができるようになります。

おすすめの本

• 『9割捨てて10倍伝わる「要約力」』
届けたいメッセージを「短く」「明確に」することで、最短・最速で伝わる「要約力」のメソッドが詰まっています。
山口拓朗（著）、日本実業出版社

勉強マジカルバナナ

自問自答して言葉をつなげる連想法

🔖 カテゴリー	テクニック集
⬟ パラメーター	簡単に楽しみながらできる方法です
👥 タイプ	• 楽しんで勉強したい人 • 記憶を定着させたいとき
# タグ	# 連想ゲーム # すきま時間 # 楽しみながら覚える

レーダーチャート: 即効性／難易度（簡単さ）／長期記憶／続けやすさ／準備

やり方

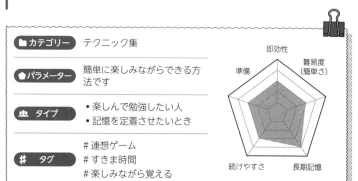

テーマ：ナポレオン

フランス革命
↓
フランス
↓
ワイン
↓
葡萄

むらさき色
↓
....
↓
....
↓
....

「勉強マジカルバナナ」は、通勤時間やちょっとした休憩の時間に、「この単語といったら……」と、**自問自答していろいろな言葉をつなげていく連想ゲーム**です。1つの単語を頭のなかで派生させて、次々と言葉の関連を見つけていくというものです。紙もペンもいらないので、通勤・通学の時間をうまく活用しながら連想力や瞬発力を鍛えることができます。

1 関連するイメージで
言葉をつくっていく

2 うすいつながりでもいいので、
すぐにどんどんつなげていく

具体的な方法

　まず、直近で暗記した単語・用語を1つ思い浮かべます。昨日覚えたての英単語でも、ニュースで出てきた言葉でも、なんでもかまいません。そして、その言葉と、なんらかの形で関連する言葉を思い浮かべます。「●●といったら……」と、自問自答するのです。単語ならば類義語や反意語、派生語。用語なら同じ分野の言葉や意味の近い言葉などですね。関連さえしていればいいのです。「ペリーといったら、明治維新」「ジャンヌダルクといったらフランス」のように、関連する出来事や人物名などをつなげます。ここで、「あの単語なんだっけ！　思い出せない‼」「あの用語、関連すると思うんだけど……なんて名前だったっけ？」と、思い出せなかったら、ほかの言葉を探し、あとで確認しましょう。くり返して20個以上続けられたらクリアです。途中で詰まってしまい、関連する言葉が出なくなったらゲームオーバーです。1からやり直しましょう。同じ言葉を2回以上使うのはNGです。

　「同じ意味」という関連だけで10個もつなげるのは難しいと思いますが、「関連のある意味」「連想できる言葉」、さらには「同じ分野の事柄」なども関連させていけば、意外と10個はすぐ見つかるものです。

　たとえば「economy（経済）」からスタートすると、「finance（財政）」などが同じような意味の言葉でしょうし、「depression（不況）」や「currency（通貨）」、「invest（投資する）」など、「経済」という言葉から関連づけられる言葉はたくさん存在します。

　「ただのゲームじゃないか」と思う人もいるかもしれませんが、メモリーツリー勉強法で「つながりが強いほど忘れにくい」と紹介し

たとおり、楽しみながら記憶定着をはかることができるのです。

やってみた！

勉強マジカルバナナは、つながりの多い言葉がどういうもの
かを理解することができます。「明治維新って、本当に多く
の人に影響を与えたんだな」とか、「termって、terminalと
か terminationとか、いろんな言葉とつながるんだな」とい
うこともわかるようになります。そのうえで、慣れてきたら
自分流の時間制限を設けて、瞬発力を上げましょう。パッと
その場に応じた単語や言葉が出てくるようになれば免許皆伝
です。

おすすめの 本

• 『現役東大生が教える 「ゲーム式」暗記術』
ゲーム方式で楽しく独学で暗記できる方法が
満載です。
西岡壱誠（著）、ダイヤモンド社

コラム

試験当日に気をつけるべきこと

　試験の最中に、「できなかった問題」ばかりが頭に浮かぶことがあります。はやく次の問題や科目に頭を切り替えて前に進むべきなのに、「さっきのあの科目の1問、まちがえちゃったな……」「あの問題の答え、『ア』でよかったのかな……」と、前の問題がフラッシュバックして、集中し切れなくなってしまう人は多くいます。

　人間には「特定のことを一度意識すると、その特定のことにそのあともずっと目がいってしまう」という「カラーバス効果」とよばれる特性があります。たとえば「ラッキーカラーは赤」と聞くと、赤ばかりが目に入るようになります。

　本当はできた問題もあるはずだし、普段よりも点数が高いかもしれないのに、「できた数問」よりも「できなかった1問」に意識が向いてしまっているのです。対処法は、とてもシンプルです。「自分を強く信じること」です。精神論のように聞こえるかもしれませんが、これ以外に方法はありません。「どうしよう」と思っても、やることは変わりません。

　よく、「メンタルが弱いから試験に落ちた」という人がいますが、「メンタルが弱い」から「試験に落ちる」ことはあり得ません。メンタルが弱くて、自分のがんばりを信じ切れず、普段と違う問題の解き方をして、その結果落ちるのです。だからこそ、「自分はメンタルが弱い」と考えている人は、「普段どおり」を意識しましょう。

【著者】

西岡 壱誠（にしおか・いっせい）

東大生、株式会社カルペ・ディエム代表。
1996年生まれ。偏差値35から東大を目指すも、2年連続で不合格。そこから独自に
勉強法を研究し、東大（文科二類）合格を果たす。入学後、『ドラゴン桜2』（講談社）
の編集などを担当。2020年に株式会社カルペ・ディエムを設立し、高校生に思考法・
勉強法を教えている。『「読む力」と「地頭力」がいっきに身につく　東大読書』（東
洋経済新報社）シリーズなど著書多数。

東大カルペ・ディエム

東大生集団。2020年6月に西岡壱誠を代表として、多くの「逆転合格」した現役
東大生によって結成され、全国各地の学校でワークショップや講演会を実施。年間
1000人以上の生徒に勉強法を教えている。著書に『東大生が教える 戦争超全史』
（ダイヤモンド社）、『東大大全 すべての受験生が東大を目指せる勉強テクニック』
（幻冬舎）など。

装丁
二ノ宮匡（nixinc）

本文デザイン・図版
金城実来（カルペ・ディエム）

編集担当
浅井啓介（TAC出版）

自分にあった方法が見つかる！ 勉強法図鑑

2024年6月28日　初　版　第1刷発行
2024年9月1日　　　　　第2刷発行

著　者　西岡　壱誠　　東大カルペ・ディエム
発行者　多田　敏男
発行所　TAC株式会社　出版事業部（TAC出版）
　　　　〒101-8383　東京都千代田区神田三崎町3-2-18
　　　　電話　03(5276)9492(営業)
　　　　FAX 03(5276)9674
　　　　https://shuppan.tac-school.co.jp

組　版　有限会社マーリンクレイン
印　刷　株式会社光邦
製　本　株式会社常川製本

落丁・乱丁本はお取替えいたします。

本書は、「著作権法」によって、著作権等の権利が保護されている著作物です。
本書の全部または一部につき、無断で転載、複写されると、著作権等の権利侵害となります。
上記のような使い方をされる場合、および本書を使用して講義・セミナー等を実施する
場合には、小社宛許諾を求めてください。

©2024 CARPE DIEM　Printed in Japan
ISBN 978-4-300-10920-5
N.D.C. 379.7